W0288345

LE
PETIT LIVRE
DES
TESTS DU FRANÇAIS CORRECT

Du même auteur :

Le Sang des choses - Contes et Nouvelles, Corps 9 Editions, 1983.

La Nuit étoilée - Nouvelles, Corps 9 Editions, 1984.

Pour mieux dire « Peut mieux faire » - Guide pratique à l'usage des enseignants,
Editions François Chapel, 1986.

Mort d'un kiosquier - Récits, Editions Critérion, 1994.

Le Petit Livre du français correct - Editions First, 1999.

Mon enfant est au collège. Je le soutiens efficacement, Coll. « Réussir en équipe » (en collaboration avec Claudine Julaud) - Editions First, 1999.

Mon enfant est à l'école primaire. Je le soutiens efficacement, Coll. « Réussir en équipe » (en collaboration avec Claudine Julaud) - Editions First, 1999.

Ça ne va pas ? Manuel de poésiethérapie - Le Cherche midi éditeur, 2001.

À paraître :

Fuir ! là-bas fuir ! - Roman, Liv'éditions, 2001.

Jean-Joseph Julaud

LE PETIT LIVRE DES TESTS DU FRANÇAIS CORRECT

First Editions

ISBN 2-87691-619-3
Dépôt légal : 1er trimestre 2001

Nous nous efforçons de publier des ouvrages qui correspondent à vos attentes et votre satisfaction est pour nous une priorité. Alors, n'hésitez pas à nous faire part de vos commentaires :

Editions Générales First
33, avenue de la République
75011 Paris – France
Tél. : 01 40 21 46 46
Fax : 01 40 21 46 20
Minitel : 3615 AC3*First
e-mail : firstinfo@efirst.com

En avant-première, nos prochaines parutions, des résumés de tous les ouvrages du catalogue. Dialoguez en toute liberté avec nos auteurs et nos éditeurs. Tout cela et bien plus sur Internet à : www.efirst.com

SOMMAIRE

CORRECTION DES TESTS 67

INTRODUCTION

Pour progresser efficacement en français, il faut d'abord évaluer ses acquis, identifier ses points faibles.

C'est ce que nous vous proposons à l'aide d'un test de départ sous la forme d'un court texte dans lequel se sont glissées vingt erreurs.

Le nombre d'erreurs que vous identifiez avec certitude vous permet de vous attribuer une note sur 20 (exemple : vous trouvez douze erreurs, vous obtenez la note de 12/20).

Chacune de ces erreurs correspond à un point précis d'orthographe ou de grammaire que vous pouvez approfondir en cherchant les dix erreurs contenues dans chacun des dix tests qui vous sont proposés par la suite.

Une faute repérée vous donne un point (exemple : vous en découvrez quatre dans le test n° 1, vous obtenez la note de 4/10 puisqu'il y en a dix au total).

À la fin du test, reportez le nombre de points que vous avez obtenus dans le tableau récapitulatif de la séquence.

Si vous additionnez vos scores concernant ces dix tests, vous obtenez alors sous la forme d'un pourcentage l'évaluation affinée de votre capacité à bien écrire (exemple : test n° 1 : 4/10 ; test n° 2 : 6/10 ; test n° 3 : 2/10, etc. Votre total est de 47/100, votre efficacité en français correct est donc de 47 %).

La consultation des corrigés, dans la deuxième partie du livre, vous permet d'éclaircir immédiatement ce qui vous semblait flou, ou ce que vous ignoriez ; ainsi, vous progressez immédiatement.

Deux séquences au schéma identique sont contenues dans ce petit livre. À mi-parcours, un test de fin de séquence vous donne la possibilité de vérifier si vos connaissances évoluent. Et dans les dernières pages, un test final vous permet de vous réjouir de vos inévitables progrès.

Si vous ne désirez pas effectuer une révision générale de vos acquis, vous pouvez vous limiter à la question d'orthographe, de grammaire ou d'expression qui vous intéresse, sans forcément calculer votre score.

Vous trouverez par ailleurs çà et là, des exercices et des « Récrés-QCM » n'entrant pas dans l'évaluation chiffrée. Ils s'ajoutent à cet ensemble, et vous permettent de donner à vos lacunes une certaine clandestinité...

Enfin, si vous jugez que les textes proposés ne sécrètent ni le sérieux ni l'ennui scolaires, ce n'est peut-être pas involontaire de notre part.

Nous avons voulu que cette auto-évaluation soit comme une petite salle de classe d'un genre nouveau, guillerette, amusante, pour vous tout seul. En quelque sorte une auto-école.

Alors, bonne route !

Première séquence

TEST DE DÉPART

Ce texte comporte vingt erreurs (orthographe, grammaire et expression). Chacune d'elles identifiée avec certitude vous donne un point. Ainsi, à la fin du test, vous obtenez une note sur 20.

SOLUTION PAGE 70

Cécile Glossite, secrétaire à la société Westinck-Dugland, écrit un courrier électronique (un e-mail, un mail ou un mél) à son amie Magali Douillet, attachée de direction.
Les erreurs sont à chercher dans l'e-mail.
Cécile@Nosy.com

Bonjour toi,

Hier soir, c'était le départ en pré-retraite du chef du personnel : cinquante cinq ans ! Il est temps ! Un plus jeune, çà ne fera pas de mal à mon célibat ! Tout le monde était là : deux cent quatre-vingts-sept personnes, plus les directeurs.

Tu ne devines pas le cadeau qu'ils lui ont offerts : un voyage à Athènes ! Avec ses petites manières de chochote, c'est bien trouvé !

Mais le plus intéressant, c'est son remplaçant : un italien, la trentaine superbe, il parle le Français comme toi et moi.

Et bien, pendant toute la soirée, il m'a regardé sans arrêt, c'en était même gênant, et fatiguant (quoique tu en penses !).

Jusqu'au moment où je m'aperçois que ses grands yeux bleus-verts cherchaient seulement à voir l'heure sur la pendule fixée au mur derrière ma tête ; apparament, il avait dû oublier sa montre !

Je me voyais déjà embarquée dans une histoire torride, tu me connais ! Autant pour moi ! Ne te moques pas, ne ris pas, je n'ai pas dit mon dernier mot.

Je le rencontre demain matin pour réglé un problème de salaire ; je mettrai la jupe et le petit haut qu'on a acheté ensembles, tu te rappelles ?...

Ton congé de maladie doit être bientôt terminé. Reviens vite ! Le fils Dugland rentre des États-Unis demain, il a finit ses études, il paraît qu'il n'est pas mal du tout.

Je te fais de grosses bises.

Cécile

APPROFONDISSEMENT : TEST N° 1

L'écriture des nombres (les adjectifs numéraux cardinaux)

Le chef comptable de la société Westinck-Dugland et son adjoint ont rempli quatre chèques correspondant aux salaires de Cécile Glossite, secrétaire, Magali Douillet, assistante de direction, Fabio Pito, chef du personnel et Alban Public, ingénieur commercial. Dix erreurs ont été commises. Allez-vous les trouver ?

SOLUTION PAGE 74

À l'ordre de Cécile Glossite, secrétaire :
Sept mille huit-cents quatre-vingt-sept francs quarante-deux centimes

À l'ordre de Magali Douillet, assistante de direction :
Sept milles huit cent quatre-vingts-dix-neuf francs dix sept centimes

À l'ordre de Fabio Pito, chef du personnel :
Trente-et-un mille quatre cent francs et quatre-vingt centimes

À l'ordre de Alban Public, ingénieur commercial :
Cinquante et un mille cent vingts francs quatre-vingts-un centimes.

LE SAVIEZ-VOUS ?

Le 1er janvier 2002, nous compterons en « euros ». Voici quelques précisions le concernant, parues au Journal officiel du 2 décembre 1997 :
« Les termes " euro " et " cent ", qui désignent respectivement la monnaie européenne et sa subdivision, doivent, en français, prendre la marque du pluriel, conformément à l'usage qui prévaut dans cette langue pour les noms communs. Il convient donc d'écrire : " des euros "," des cents ". Le terme " cent ", conformément à l'usage français, doit se prononcer comme l'adjectif numéral " cent " (comme " sang »), au singulier comme au pluriel ».

EXERCICE
(hors évaluation)

Voulez-vous rivaliser avec le chef comptable de Westinck-Dugland ? Écrivez à votre tour les nombres suivants représentant le bénéfice net de la société, les investissements prévus et la prime mensuelle de Cécile Glossite.

51 875 481 F
80 002 001 F
120 F

SOLUTION PAGE 75

LE SAVIEZ-VOUS ?

Lorsqu'il désigne une unité de longueur, - le « mille » marin, 1 852 mètres ou l'antique « mille » romain, 1 481,5 mètres - « mille » est un nom commun, donc variable. Il ne faut pas le confondre avec le « mile » anglais (un seul « l » - sauf au Canada -, prononciation : « maï-l ») : 1 609 mètres. Ex. : Le bateau de Monsieur Wilt a sombré à deux milles de la côte (deux fois 1 852 mètres). Le mille marin est aussi appelé un « nautique ». Ex. : Le soir du naufrage, la visibilité était de douze nautiques.

APPROFONDISSEMENT : TEST N° 2

Les consonnes doubles

Cécile Glossite a une petite sœur, Lolita, qui est en classe de 5ème. Elle vit en Bretagne avec ses parents, dans la maison familiale. Un matin, Lolita se sent fiévreuse ; sa mère décide de ne pas l'envoyer à l'école, elle écrit au professeur le billet suivant dans lequel il remarque quatre erreurs concernant le doublement des consonnes, (alors qu'il y en a dix en tout !).

SOLUTION PAGE 76

Monsieur,

Hier soir, j'ai trouvé Lolita palote. Elle a pourtant mangé la moitié de sa bavette à l'échalotte, et un peu de matelote. Mais ce matin, j'ai examiné sa glote, elle était rouge comme une griotte !

Pourtant elle grelote ! Elle s'est rendormie comme une marmotte, elle qui a toujours la bougeotte !

Pour antidote, je lui ai fait un peu de thé à la bergamotte. Pauvre petiote, elle si rigolotte, elle a la tremblote !

Vous remarquez sans doute les nombreuses occurences des sons « ote ». Ce n'est pas ma faute. Cela m'arrive chaque fois que j'écris, c'est récurrent !

J'espère que son cas ne va pas s'agraver. Quelques biscottes et une bouillote, et elle devrait se racommoder avec la bonne santé.

Je la garde à la maison. Pour ce midi, je lui prépare de la popote à la sauce ravigote, et un peu de cancoillotte.

Avec mes sentiments respectueux,

Claire Glossite

EXERCICE
(hors évaluation)

Apercevoir ou appercevoir ? Mourir, ou mourrir ? Caresser ou carresser ? Nourir ou nourrir ? Pourir ou pourrir ? Ballotter ou balloter ? Courir ou courrir ?

SOLUTION PAGE 77

PETIT QCM DE CONJUGAISON
(hors évaluation)

Faites une croix en face des formes conjuguées que vous jugez correctes et relevez les coordonnées (ex. : 1a, 2c, etc.).

SOLUTION PAGE 77

1 Résoudre		**2 Écrire**		**3 Accueillir**	
Il résoud	a	Il a écrit	a	J'acceuille	a
Il résout	b	Il a écri	b	J'accueille	b
Il résoue	c	Il a écris	c	J'acueille	c
4 Acquérir		**5 Acheter**		**6 Nettoyer**	
J'acquiers	a	Tu achète	a	Ils nettoient	a
J'acquère	b	Tu achette	b	Ils nettoyent	b
J'acquers	c	Tu achètes	c	Ils nettoies	c
7 Draguer		**8 Interpeller**		**9 Craindre**	
Tu dragais	a	J'interpelais	a	Je crainds	a
Tu draguais	b	J'interpellais	b	Je craind	b
Tu dragait	c	J'interepelai	c	Je crains	c
10 Devoir		**11 Payer**		**12 Rompre**	
J'ai dut	a	Je payerai	a	Je romp	a
J'ai dû	b	Je paierai	b	Je ronds	b
J'ai du	c	Je payrai	c	Je romps	c

APPROFONDISSEMENT : TEST N° 3
Les adverbes

Toute seule, un soir, en cachette, Cécile rédige une petite annonce destinée à la rubrique « Rencontres » d'un grand hebdomadaire. Décidée à y mettre le prix, elle ne lésine pas sur les adverbes dont elle maîtrise mal l'orthographe. Elle commet sept erreurs en les écrivant. Saurez-vous les trouver ?

SOLUTION PAGE 79

Jeune fille ayant brillament réussi ses études, secrétaire dans une grande société, joliement servie par la nature, aimant éperdument la vie à deux, parlant anglais couramment, désirant sortir fréquamment, cherche jeune homme sachant s'exprimer intelligeament, conduire prudemment, et constamant prêt à toutes les activités d'un couple normal auxquelles il se livrera assidumment.

Envoyer photo, évidamment.

Le même soir, en cachette aussi Magali Douillet, que son petit ami menace de quitter, rédige pour le même hebdomadaire une annonce où elle fait trois fautes concernant les adverbes. À vous de les repérer.

SOLUTION PAGE 79

Jeune fille bientôt seule, vraiment déçue par la vie méchament intentionnée à son égard, désespérément à la recherche de l'âme sœur, serait disposée à étudier posément un projet d'existence qui se présenterait différamment de ce qu'elle a connu. Assistante de direction dans une grande société, elle vous attend patiemment.

Envoyer photo dûment attestée et certifiée conforme par un proche.

EXERCICE
(hors évaluation)

Saurez-vous écrire correctement « tout » dans ces phrases où il est remplacé par des pointillés :

Cécile et Magali sont t... entières habitées par leur rêve de prince charmant. T... heureuses, elles seraient t... surprises de n'avoir pas de réponses, et même t... honteuses. Écrivez-leur, elles seront t... à vous.

SOLUTION PAGE 80

LE SAVIEZ-VOUS ?

Le verbe « attraper » prend deux « t » et un seul « p » : « J'attrape, tu attrapes, etc. ».
Un « atèle » est un singe d'Amérique du Sud ; une « attelle » est une plaque destinée à maintenir immobile un membre blessé.
« Âtre » et « antre » sont du genre masculin.

RÉCRÉ-QCM

1 - Un **palindrome**, c'est :

a) Un terrain où atterrissent des palins, gros hélicoptères de combat dont les pales sont en duralumin (ce qui a donné « palin »).

b) Une grosseur douloureuse et pâle au niveau de l'aine, dont le traitement nécessite l'ablation de tous les organes environnants.

c) Un mot ou une phrase qu'on peut lire dans les deux sens. Par exemple : « Laval », « "Nu et canon", acte un », « La mariée ira mal ».

2 - Une **hyperbole**, c'est :

a) Un coup de chance, un heureux hasard, un bon coup du destin, quelque chose de super, d'hyper, même. On peut dire que celui qui en bénéficie a du bol ! D'où la formation du terme.

b) Une figure de rhétorique qui consiste à exagérer ce que l'on dit afin de mieux impressionner son interlocuteur : « Hier soir, au match, j'ai bien bu trois seaux de bière tellement on a mis le feu ! ».

c) Un récipient brésilien pour grands buveurs de café, dont la contenance est d'au moins six bols ordinaires. Le genre féminin et le « e » final viennent de la traduction brésilienne.

3 - Un **contrepet**, c'est :

a) Un terme médical désignant, dans la pathologie intestinale, la poche d'air qui accompagne les mouvements péristaltiques.

b) Un ornement musical proche du contrepoint, essentiellement joué au basson, au bugle ou au cornet à pistons.

c) Un déplacement de lettres dans les mots d'une phrase ou d'une expression, conduisant à former des mots et un sens nouveau. Ex. : « Un chômeur du Finistère » est devenu « un chauffeur du ministère ».

4 - Un **hypocoristique**, c'est :

a) Un onguent destiné à supprimer les durillons ou les cors situés sous les orteils.

b) Un mot, une expression, un diminutif traduisant l'affection (chouchou, minou, minouchet, bibiche, minet, rominet, mounet, papounet, mamounette, biquet, biquette, bichounet, doudou, roudoudou...).

c) Un breuvage médicamenteux avalé par les choristes de l'Opéra avant les représentations afin d'atténuer l'effet vibratoire que certaines parties chantées peuvent avoir sur les lustres, les verres de cristal, ou sur les tympans des spectateurs des premiers rangs.

SOLUTION PAGE 81

APPROFONDISSEMENT : TEST N° 4
Adjectif verbal, nom et participe présent

Le PDG de la société Westinck-Dugland dont la déclaration de revenus (et non la déclaration d'impôts) conjuguait le flou artistique et l'impressionnisme nébuleux écrit à la direction générale des Finances afin de demander un dégrèvement tenant compte de nouveaux éléments qu'il apporte.
Il confond l'orthographe du participe présent (par exemple : somnolant) et de l'adjectif verbal (somnolent), ainsi que celle du nom et du participe présent (confluent/confluant). Il fait dix erreurs de ce genre dans sa lettre. Les mots à l'orthographe douteuse sont en gras.

SOLUTION PAGE 82

Monsieur l'Inspecteur,

Membre **adhérant** de la Société de défense du contribuable depuis un an, je me permets de solliciter auprès de vous un dégrèvement d'impôts car j'ai omis de mentionner certains éléments : par exemple, je n'ai plus de bateau.

En effet, **navigant** trop près de la côte, une nuit, j'ai heurté un rocher et mon 18 mètres a coulé comme le Titanic. J'ai regagné le rivage à la nage, c'est très **fatiguant** ! Je suis arrivé, tout **suffoquant**, dans les algues et le sable mouillé.

Par bonheur, je suis tombé sur un **résidant** brésilien et un **résident** de la maison de retraite voisine qui m'ont bien réconforté.

J'ai pu téléphoner chez moi où mon palefrenier qui n'a pourtant rien d'un homme **négligeant** m'annonçait une deuxième catastrophe : plus de chevaux, je n'avais plus de chevaux, l'écurie venait de brûler.

En me **communicant** cela, en me **convaincant** que ce n'était pas si grave puisque j'étais en vie, il m'annonçait quand même que, selon les avis **convergents** des médecins, mes dernières analyses **précédant** ma future hospitalisation révélaient un taux de cholestérol tel que l'éprouvette d'analyse avait explosé, **provoquant** la panique chez les infirmières **vacant** à leurs occupations.

J'ajoute que je n'ai pas d'assurance, que tout est à ma charge. Je compte sur l'homme compétent que vous êtes pour comprendre ma détresse, tout cela n'a rien d'**extravagant**, mes chevaux **fringants**, mon bateau, je n'ai plus rien que mon château, c'est affligeant !

Serait-il possible que j'obtienne un abattement aussi important que celui dans lequel je me trouve ?

Je vous prie d'agréer, Monsieur l'Inspecteur, mes sincères salutations.

F.S. Wilt
PDG de la société Westinck-Dugland

APPROFONDISSEMENT : TEST N° 5

Les adjectifs de couleur

Cécile vient de faire une rencontre si excitante qu'elle en oublie de bien accorder certains adjectifs de couleur (dix au total parmi les adjectifs surlignés).

SOLUTION PAGE 84

Cécile@Nosy.com

Petite Magali de mon cœur,

Je suis toute folle, j'en suis encore toute retournée, tu ne devineras jamais avec qui je me suis retrouvée tout à l'heure dans l'ascenseur, toute seule ! Allez, devine ! Avec Pito, le nouveau chef du personnel !

Et puis je sais son prénom : il me l'a dit. Je te raconte : j'emportais chez le directeur les dossiers **bleus pâles** sur les statistiques et les sous-dossiers **jaunes-vert** sur les sous-statistiques, j'avais appuyé sur l'un des boutons **ocres** pour le numéro d'étage, le 7 comme tu sais, et paf ! ça s'arrête au 3. Il entre.

Bonté divine, quelle beauté latine ! Il me regarde, je ne te précise pas où ! De toute façon, ils sont tous comme ça les mecs, on dirait des boussoles, mis à part que le magnétisme et l'aiguille, ce n'est pas dans le même endroit, tu vois ce que je veux dire...

Donc, il me regarde avec ses yeux **marrons** ; heureusement, j'avais mis ce matin mon dos-nu avec des bretelles **oranges**, mon balconnet à bonnets **pervenche** (string assorti, tu te rappelles, on l'avait acheté chez Fringues-Wreck), et ma jupe avec ses fronces **briques** et **turquoises**.

Et pour retenir les dossiers, je croisais les bras, je n'étais pas mécontente de l'effet ; déjà, avant qu'il entre, je m'étais vue dans le miroir, ma poitrine remontait dans mon estime. Alors, il me regarde ensuite dans mes deux yeux **vert noisettes**, et il me dit, la voix grave et suave : « Moi, c'est Fabio ! Et vous ? »

Je suis sûre que j'avais les joues **écarlates** et qu'il l'a vu. Tu te rends compte, il aurait pu profiter de mon trouble... il ne l'a pas fait.

Voilà, tu vas me dire que je fantasme... Pas tant que ça ! Qui vivra verra. Je viens de me regarder, j'en ai encore les joues **pourpres** !

Et toi, tu cherches un peu au cas où... ? Tu sais que le fils Dugland est revenu des États-Unis, il n'est pas mal ! Tu le remarqueras facilement, il a toujours des vestes **jaunes paille**, ses cheveux sont **châtains clair**. Ce serait un bon parti. Allez, je vais dormir (avec Fabio, hi, hi, hi...).

Bisous

Cécile

EXERCICE

(hors évaluation)

Savez-vous ce que signifie « pers » ?

1 - Ce terme est employé pour exprimer la multiplicité des couleurs. Il est à l'origine du nom « Lepers » (le plus connu étant « Julien »), famille dont les membres ont la manie de porter des couleurs pétantes, pas forcément assorties (cravate et costume surtout).
2 - « Pers » désigne une couleur (surtout en parlant des yeux), entre le bleu et le vert, celui-là dominant celui-ci.
3 - Couleur chair, légèrement fauve, que l'on observe sur ce que le corps humain possède en double (les talons, les coudes, etc.). D'où l'expression métaphorique - lorsque la qualité de la couleur le justifie - : « en avoir une belle pers ».

Que signifie « avoir les yeux vairons » ?

1 - Les yeux qui voient les erreurs à ne pas commettre dans le futur ?
2 - Les yeux à l'iris cerclé d'un anneau blanchâtre, ou de couleurs différentes ?
3 - Les yeux fatigués, ceux d'un lendemain de fête, comparables à une friture de vairons, petits poissons physostomes (allez voir dans le dictionnaire...).

SOLUTION PAGE 86

RÉCRÉ–POÈME
(hors évaluation)

Cécile est amoureuse de Fabio Pito, le nouveau chef du personnel. Elle écrit un sonnet qu'elle projette de lui donner, mais, auparavant, elle l'envoie par e-mail à Magali. Combien de fautes de conjugaison y relevez-vous ?

SOLUTION PAGE 86

Cécile@Noisy.com

Petite Magalinette,

Je crois que je suis amoureuse, je lui ai écrit un poème. Il me manque quelques rimes. Si tu m'aides, je pourrai le lui donner bientôt...

Sonnet pour Fabio

Fabio que tu est beau dans ta veste grenat
Et ta chemise rose et ta cravate en tulle
Je te donnes ma vie et mon âme et mon ...
(là, je ne trouve pas, j'ai bien pensé à « pull », mais ça fait un peu bête !)
Je te donnes mon cœur, avec mon célibat.

Tu m'a fait de l'effet car tu es délicat
Et j'imagine que celles que tu ...
(là je ne trouve pas non plus, il me faut quelque chose qui rime avec « tulle », j'ai pensé à « stimules », mais c'est un peu sexuel)

Doive se retrouver dans du bonheur en bulle
Et crié vers le ciel, comme si on les bat.

Pour toi je ferais tout : retourner à la messe
Manger des épinards, et te montrer ...
(j'ai pensé à « ma liesse », ce qui veut dire « ma joie », pour lui faire voir que je suis toujours de bonne humeur, mais j'ai l'impression qu'il y a plus simple et plus direct)
Nous irrions tous les deux par les rues, mon Fabio !

Quand viendra-tu, amour, dans la rue où j'habite
Chanté sous ma fenêtre ô mon doux Roméo !
Notre histoire commence, ô, donnes-moi ... !
(c'est bête, je voulais mettre « donnes-moi la suite », mais, avec « habite », ça ne fait pas une rime très riche. Aurais-tu des idées ?).

Cécile Glossite

LE SAVIEZ-VOUS ?

L'« alexandrin », vers de douze syllabes, tire son nom d'un long poème, écrit à la fin du XIIème siècle, pour célébrer les exploits d'Alexandre le Grand (356-323 av. J.-C.) et composé de 16 000 vers de douze syllabes.

APPROFONDISSEMENT : TEST N° 6

Les accents

Fabio Pito, le nouveau chef du personnel de la société Westinck-Dugland, écrit à sa fiancée, Sally Westinck-Dugland, directrice adjointe de la société Westinck-Duglind, boulevard Saint-Laureint, Sainte-Quêthréne, pâs loin de la stassien d'métrô d'chain d'Mârs, à Montréal, câlice !

Italien de naissance, il maîtrise bien le français, mais fait beaucoup de fautes concernant les accents. Sa lettre en contient dix. Trouvez-les.

SOLUTION PAGE 87

Chère Sally,

Depuis que j'ai pris mes fonctions au poste que m'a confié futur beau-papa, je m'épuise à la **tache**. En effet, dans le service, c'est un peu la **zône**, tout est **boiteux**, et ce n'est vraiment pas un **havre** de paix. J'étais si déprimé que j'ai pensé aller voir un **psychiâtre** qui m'aurait sans doute **chapitré** en me disant que j'en fais trop. Et c'est vrai, je me prive même de **déjeûner**. Je sais, c'est de la **bétise**, et **jeûner** n'est pas bon pour la santé, mais cela se fait beaucoup dans la **boite** !

Pourtant, j'ai de quoi m'amuser : une secrétaire, Cécile Glossite, et sa copine, Magali Douillet, une des attachées de direction ne cessent de me regarder avec de petits airs qu'elles croient **grâcieux**, j'ai l'impression qu'elles se sont entichées de moi jusqu'à la **moëlle**, toute leur attitude est **symptomatique** d'un dérèglement **hormonal**, ou de je ne sais quoi, en tout cas, tu connais leur profil, leur plastique : tu n'as rien à craindre.

L'une des deux, Magali Douillet, m'a même remis une enveloppe contenant un **poême** ! Je le joins à cette lettre. Tu vas rire ! Elle y parle de la veste grenat que tu m'as offerte, et d'une cravate en tulle, tu imagines ça, une cravate en tulle !

J'embrasse ta peau **hâlée**... Vivement les vacances au **châlet** de ton père, bientôt !

Fabio

LE SAVIEZ-VOUS ?

On écrit appas (charmes), mais appâ**t**s (nourriture) ; arôme, mais aromate ; Châlons-sur-Marne, mais Chalon-sur-Saône ; chapitre, mais épître ; Chateaubriand (l'écrivain), mais Châteaubrian**t** (la ville) ; cote (mesure), mais côte (montée) ; disgrâce, mais disgracieux ; égout, mais ragoût ; haler (tirer), mais hâler (bronzer) ; Israël, mais Israélien ; pécheur (fautif), mais pêcheur (de poissons) ; rebelle, mais rébellion ; roder (un moteur), mais rôder (comme le rôdeur).

APPROFONDISSEMENT : TEST N° 7

L'accord du participe passé (1)

Magali Douillet a bien reçu l'e-mail dans lequel Cécile lui demandait des conseils pour ajuster ses rimes. Mais trouvant l'idée épatante, elle a décidé de s'attribuer le poème et de le donner à Fabio qui s'en gausse auprès de Sally. Ce coup de folie passé, il faut maintenant empêcher Cécile de réaliser son projet...

SOLUTION PAGE 88

Magali@botulus.com

Cécile de mon cœur,

Les strophes que tu as **écrit** pour Fabio sont très belles. L'émotion qu'elles m'ont **procurées** demeure au fond de moi. Je me suis **relue** le poème entier avec les rimes que j'ai **trouvées** à la fin des vers où tu doutais :

« Je te donne ma vie, et mon cœur-libellule » (c'est vrai que « et mon pull », ça faisait bizarre, et puis, il faut un « e » pour que ça rime ; « libellule », c'est frais, léger, qu'en penses-tu ?) ; deux vers plus loin, tu peux remplacer « cœur » par « âme ».

« Et j'imagine que celles que tu adules » « aduler », ça veut dire « adorer », c'est mieux que « stimuler » que moi aussi je trouvais ambigu.

« Manger des épinards et te montrer ma liesse ». Je trouve « liesse » bien choisi et gai.

« Notre histoire commence, ô, donne m'en la suite ». Voilà pour la fin.

Je trouve que toutes tes rimes se sont **succédées** harmonieusement, tu es une véritable artiste, Cécile, si, si !

Mais tu es une grande imprudente : la comptable qu'ont **rencontrés** les commerciaux prétend que Fabio a une fiancée. Tu me diras que moi aussi, j'ai un copain, mais ce n'est pas ça qui m'empêche de... enfin, quand même ! S'ils se sont **jurés** fidélité pour la vie, s'ils ne se sont jamais **mentis**, si elle s'est **promise** de n'être qu'à lui, s'ils se sont **nuis**, **détestés** et **déplu** et que malgré tout ils restent ensemble, nous n'avons aucune chance !

La sagesse est de ne plus y penser afin que plus tard, on ne résume pas ton histoire comme on le fait pour tant de filles inconscientes en disant : elle s'est **laissée** séduire, puis elle s'est **laissée** mourir !

Bisous

Magali

PETIT QCM DE CONJUGAISON
(hors évaluation)

Faites une croix en face des formes conjuguées que vous jugez correctes et relevez les coordonnées (ex. : 1c, 2b, etc.).

SOLUTION PAGE 91

1 Prévoir		**2 Devoir**		**3 Conclure**	
Je préverrai	a	Elles sont dues	a	Il concluera	a
Je prévoirai	b	Elles sont dûes	b	Il conclura	b
Je prévèrai	c	Elles sont dû	c	Il conclurra	c

4 Moudre		**5 Asseoir**		**6 Vaincre**	
Que je moude	a	J'assois	a	Il vainc	a
Que je mole	b	J'asseois	b	Il vaint	b
Que je moule	c	J'assoi	c	Il vain	c

7 Voir		**8 Évoluer**		**9 Crier**	
Que je voie	a	Il évolut	a	Elle crit	a
Que je voye	b	Il évolue	b	Elle cri	b
Que je vois	c	Il évolu	c	Elle crie	c

10 Envoyer		**11 Craindre**		**12 Créer**	
Vous enverrez	a	Je crainds	a	Elles sont crées	a
Vous envèrez	b	Je crains	b	Elles sont créées	b
Vous envoyrez	c	Je craints	c	Elles sont créé	c

APPROFONDISSEMENT : TEST N° 8

Quel que, quelque, quelque ... que, quoi que, quoique...

Monsieur F.S. Wilt, PDG de la société Westinck-Dugland, n'est pas très content : on vient de l'informer que les boîtes aux lettres électroniques du réseau informatique interne servent surtout à des échanges d'ordre privé. Il rédige si rapidement sa note de service qu'il y commet dix erreurs dans l'emploi de « quel que, quoi que... ». À vous de les trouver (les mots suspects sont en gras).

SOLUTION PAGE 92

Société Westinck-Dugland

Avis au personnel.

Il est rappelé à tous, particulièrement aux secrétaires et aux attachées de direction, que la circulation de messages personnels sur le réseau interne n'est pas souhaitable, **quelque** soit le moment de la journée, **quelque** soit la raison invoquée, et sous **quelque** prétexte que ce soit.

Quoi que cette consigne ait déjà été affichée, **quoique** chacun ait pu en penser, il se trouve que des échanges privés surchargent les boîtes aux lettres. Doit-on rappeler que leur contenu est facilement accessible par qui que ce soit, **quelque** soit le code secret ?

On a pu ainsi remarquer que beaucoup de supputations fantaisistes circulent à propos de tel ou telle. Aujourd'hui, on vient même de découvrir un poème singulier à propos de Monsieur Fabio Pito, nouveau chef du personnel.

Quoi qu'il en soit le thème central, il a décidé qu'il n'y aurait aucune poursuite. **Quoiqu'**il en soit, il est nécessaire que cesse ce qui depuis **quelque** temps représente une perturbation.

Depuis les **quelques** dix mois que nous avons obtenu le label ISO 9002 – et **quelque** puissants que nous soyons sur le marché –, il ne faut pas oublier que, **quelques** efforts que nous fassions, la concurrence est là.

Aussi, penser qu'un tel poème pourrait émigrer vers elle est inquiétant, d'autant plus que certaines rimes, sans doute surajoutées par une main facétieuse, le font basculer dans le grivois.

Quelque regrets que nous en ayons, nous serons obligés de prendre des mesures si de nouvelles missives à caractère privé – **quel qu**'elles soient – réapparaissaient sur le réseau.

F.S. Wilt
PDG de la société Westinck-Dugland

LE SAVIEZ-VOUS ?

Le pronom relatif « lequel » doit être accordé avec son antécédent (le mot qui le précède en général) : « Les raisons évidentes pour lesquelles la note a été rédigée... », « lesquelles » s'accorde avec « raisons », au féminin pluriel.

RÉCRÉ-QCM

1 - Un **palimpseste** c'est :

a) La représentation rupestre de cow-boys dans les grottes des montagnes Rocheuses aux États-Unis, par une ermite tourmentée, fille naturelle d'une Indienne et d'un visage pâle. Ses œuvres reproduites ont été rassemblées dans un très beau livre intitulé L'Angoisse de l'Apache blanche.

b) Une peau d'animal, traitée de sorte qu'on y puisse écrire, et dont le texte initial a été gratté ou lavé afin d'y écrire à nouveau. Cette opération peut être répétée plusieurs fois.

c) Une relation sexuelle qu'un filleul entretient avec son parrain, celle-ci étant incestueuse en raison d'un lien de parenté les unissant (cousin, neveu, demi-frère, *etc.*). Le terme d'origine est « parrainceste » (XVIIème siècle).

2 - Un **cénotaphe** c'est :

a) Un article du Code de commerce international accordant aux producteurs de tabac un label spécifique en rapport avec le terroir d'où est issue leur récolte, afin que personne d'autre ne revendique la propriété d'un arôme. « Cénotaphe » est la transcription hellénisée de l'expression « C'est nos taffes ! », où l'on comprend que « taffes » désigne par synecdoque la cigarette.

b) Ce terme vient du grec « kénos » qui signifie « vide » et de « taphos » : « tombeau ». Il s'agit donc d'un tombeau élevé à la mémoire d'un disparu, complètement disparu, puisque son corps n'est pas à l'intérieur.

c) Un cénobite qui, dans le monastère où il vit, assume les conséquences de son vœu de chasteté absolue en composant des épitaphes.

3 - Un **olécrane**, c'est :

a) La saillie de l'os, au milieu de la partie externe du bras : lorsqu'on pose le majeur près du coude, on sent d'abord le trou du cubitus, puis une éminence osseuse : l'olécrane.

b) Un téléphone portable nouvelle génération, successeur du « Ola », aux dimensions si réduites qu'il pourra être implanté dans le crâne, d'où son nom.

c) Un macho espagnol qui fait le malin – qui crâne – en imitant le matador une partie de la nuit avant de se mettre au lit avec sa copine, afin qu'entre ce qu'il promettait et ce qu'elle va recevoir, elle ne ressente pas trop cruellement la déception.

SOLUTION PAGE 93

APPROFONDISSEMENT : TEST N° 9

L'accord du participe passé (2)

Lorsque Cécile a lu la note de service, elle est entrée dans une fureur que nous renonçons à décrire pour ne choquer personne. Ensuite, l'œil incendié de colère et rivé sur son écran, elle a écrit cette missive à Magali, en y laissant dix erreurs. À vous de les trouver (parmi les participes passés en gras).

SOLUTION PAGE 94

Cécile@Nosy.com

Ma petite vieille,

Si c'est toi qui as fait ça, alors là, si c'est toi, je ne donne pas cher de ta peau ! Et ça ne peut être que toi ! Ah, mais quelle idée j'ai **eu** en te faisant confiance ! Je pensais que tu étais une vraie copine, mais tu es bien comme les autres, tu ne vaux pas tripette ! Traîtresse !

Quand je pense à tout ce que j'ai fait pour toi : les mails que je me suis **plue** à t'écrire pendant ton congé, les fleurs que je t'ai **faites** envoyer, les pizzas que je t'ai **préparées** et **portées** avec amitié, et même amour, sous l'averse, sans parapluie, je revenais toute défrisée !

Que je suis bête ! Quand je pense aux centaines de francs que m'a **coûtées** cette générosité ! Quelle ingratitude !

Quand je pense à tous les secrets que je t'ai **confiés**. Si tu entends demain quelqu'un dire de moi « Elle s'est **jeté** sous une voiture ! », ne t'en étonne pas, ce sera ta faute !

Si en plus on ajoute « Elle s'est tout **abîmée** la jambe, elle s'est **ratatinée** sous le pare-chocs, elle s'est **cogné** la tête sur le trottoir, elle s'est **vu** mourir, mais elle s'en tire ! », tu auras ma résurrection sur la conscience, comme le jour où j'ai déjà voulu en finir en avalant des somnifères que tu avais **remplacés** par des laxatifs. Déjà, j'aurais dû me douter !

« Parce que je m'étais **aperçu** que tu allais faire une bêtise » avais-tu **prétexté** après, pendant que je galopais dans mon appartement. Et alors, ça te regarde si je veux faire une bêtise ? Occupe-toi donc de la tienne !

Si c'est toi, ma petite vieille, les horreurs de la guerre que tu as **vu** se dérouler dans les films, les tortures diverses que tu as **entendues** raconter à la télé, ce n'est rien à côté de ce que je te promets !

Je commence tout de suite : Magali, tu te crois belle, tu es moche, très moche, tu as un gros derrière, tout le monde le dit. Et voilà, ce n'est qu'un début !

Considère cet e-mail comme une déclaration de guerre ; et même si je ne suis pas une bombe, je sais m'éclater dans la vengeance !

Je ne te fais pas de bisous, Judas !

Et je ne signe pas !

APPROFONDISSEMENT : TEST N° 10
L'impératif

Pour Magali, évidemment, le message est clair. Mais elle s'en sort, non sans perfidie, et avec dix erreurs que vous allez trouver, c'est sûr (parmi les impératifs en gras) !

SOLUTION PAGE 96

Magali@botulus.com

Arrêtes, Cécile ! Tu deviens folle, tu divagues ! Quoi ? Tu me soupçonnes, moi, d'avoir mis sur le réseau interne ton poème ? **Rappelles**-toi ce que j'ai fait pour lui ! Il lui manquait des pieds : c'est moi qui l'ai fait marcher !

Et tu me menaces ! **Fait** attention, Cécile, va un peu plus loin et je porte plainte pour diffamation. **Penses-y** ! Personne ne m'a jamais dit ce que tu m'as dit à propos de ma personne. En tout cas, aucun de mes copains ne s'en est jamais plaint !

Ouvres les yeux ! **Va-t-en** chercher la vérité ailleurs que dans la trahison ! Pour quelle raison aurais-je fait cela ? **Dis-moi-le** !

À mon avis, tu es très fatiguée en ce moment. Tu es trop seule ! Et moi aussi, maintenant : il est parti, ça devait arriver ! Évidemment, ça me torpille !

Alors, **vas-y** toi aussi, **mets-t-y**, mon chagrin est déjà énorme, **va y** ajouter ta cruauté !

Et puis, si Fabio t'obsède, **parle-lui en** ! C'est le meilleur moyen de t'en guérir. À moins que... Sait-on jamais !

Ce n'est pas pour prendre ma revanche parce que je t'aime bien quand même, mais, si tu veux briser ta solitude, ton idée de recourir à la chirurgie esthétique n'était peut-être pas si mauvaise. **Téléphone** à la clinique « Nez - Seins - Culotte de cheval », ils font des prix en ce moment.

Appelle-moi dès que tu peux, et puis, tes soupçons, **défais-t-en**, je suis déjà blessée par ma rupture, ne m'**achèves** pas !

Et puis, surtout, ne te **détruis** pas, tu as déjà eu tellement de mal à te construire ! Ça me démolirait. Ma rupture me laisse seule, ma personne est comme vide tout d'un coup, jusque dans son fondement.

Magali

LE SAVIEZ-VOUS ?

On écrit « E-mail » (et non « Email », pour raison de casseroles sans doute...), « mail », « mél » (abréviation de « message électronique »), ou « courriel » (au Québec). Lequel de ces quatre termes désignant la même chose l'emportera dans les mois ou les années qui viennent ? Les paris sont ouverts !

RÉCRÉ-QCM

1 - Un **amphigouri** c'est :

a) Une salle de cours en forme d'amphithéâtre où enseignent des professeurs d'université dont le discours et le savoir comportent de nombreuses imprécisions ou opacités, et des erreurs récurrentes.

b) Une amphore de l'époque phénicienne qui était destinée au commerce avec l'Orient. Elle servait à l'exportation des figues, et à l'importation du riz, d'où son nom.

c) Un discours ou un écrit confus, qui n'a pas de sens, où l'inintelligible le dispute à l'invraisemblable et au burlesque.

2 - Un **solécisme**, c'est :

a) Une mauvaise habitude prise par ceux qui, peu satisfaits de n'être pas remarqués pour leur belle voix dans un groupe vocal improvisé, s'arrangent pour terminer à la tierce majeure aiguë les dernières mesures chantées, croyant faire joli. Une tierce majeure, c'est par exemple la différence entre le sol et le si, d'où le nom : solécisme.

b) Un sol ayant subi de si nombreux séismes qu'on a infligé au mot le désignant quelques secousses orthographiques, dans le souci de rapprocher le signifiant du signifié. Ainsi, « sol-séisme », devenu « solécisme », inaugure une nouvelle génération de vocables un peu secoués, qu'on appelle « imitatifs ».

c) Une façon de parler qui ne respecte guère la syntaxe, à la manière des habitants de Soles, ville de la Turquie du Sud, au nord de Chypre, qui, dans l'antiquité, parlaient fort mal le grec. « Solécisme » tire son nom de cette ville de Soles.

3 - Un **ziggourat**, c'est :

a) L'organe sexuel du rat mâle dans le vocabulaire de la biologie. Pour le désigner, les spécialistes de l'Académie des Sciences de la Vie et de la Terre ont emprunté à l'anatomie de l'homme la moitié du terme plaisant désignant un appareil plutôt modeste – c'est-à-dire courant – : « zigounette », et l'ont fait suivre du nom du rongeur : « rat », d'où « ziggourat ».

b) Une pyramide à étages, servant de temple et d'observatoire astronomique aux anciens Babyloniens.

c) La conjugaison, à la 3ème personne du subjonctif imparfait (initialement porteuse d'un accent circonflexe sur le « a ») du verbe « ziggourer » qui signifie « tromper un zigue », c'est-à-dire un brave homme. Ex. : « Pour conclure l'affaire à l'insu de son mari, il fallut bien qu'elle le ziggourât.» Cette conjugaison est devenue un nom commun synonyme de « tromperie ».

SOLUTION PAGE 98

TEST DE CONTRÔLE

Dans cette lettre de Fabio à Sally, sa fiancée, la vérité éclate enfin. On y trouve vingt erreurs que vous devez être capable d'identifier si vous avez correctement effectué les tests précédents. Bonne chance !

SOLUTION PAGE 100

Chère Sally,

Je m'ennuie tellement loin de toi, dans mon bureau aux murs jaune-verts, aux rideaux oranges que je me suis permis un petit divertissement. Je ne mesure pas bien encore les conséquences qu'il a produit, mais je crois que les deux rigolottes qui se sont succédées pour me séduire se sont évanoui dans la nature.

Je t'avais parlé du poème que l'une d'elles m'avait remise... Et bien, après avoir patiamment modifié quelques rimes pour leur donner un petit air gaillard, je l'ai envoyé sur le réseau interne !

Tout le monde l'a lu : les cent vingt-et-un techniciens, les quatre-vingts-sept employés divers, et probablement les trois milles quatre cent soixante-deux connectés des filiales étrangères !

Monsieur Wilt, le directeur, a fait une circulaire en précisant que, quelque soit le motif et quoique chacun en pense, le courrier privé ne devait pas circuler sur le réseau.

En communicant cette information, Monsieur Wilt, qui n'a rien d'un fabriquant de rumeurs, a été clair et convaincant puisque désormais, seuls circulent les courriers professionnels.

Midi, je m'en vais déjeûner. J'espère que tu n'as pas trop de travail. Penses aux vacances qui arrivent ! Va-t'il faire beau ? Je me le demande. Si tu veux, va-t'en faire un tour à la météo internationale, boulevard Sainte-Quêthréne, tu auras des renseignements sûrs pour les prochaines semaines.

Au menu, nous avons du sushi, j'ai hâte de retrouver cette belle chair de Nippons qui me fait penser à toi. N'est-ce pas que tu adores quand nous nous retrouvons en tête-à-tête autour d'elle !

Mille pensées tendres

Fabio

Deuxième séquence

Attention : *dans tous les tests qui suivent, chaque « fausse erreur » – terme ou expression dans lesquels vous en avez relevé une alors qu'il n'y en a pas – vous enlève un point.*

TEST N° 1

Finalement, Cécile est retournée, pleine d'usage et raison, vivre entre ses parents le reste de son âge ingrat, en Bretagne. L'appel des embruns, le « Schrrrwww... schrrrwww... schrwww... » des vagues a été le plus fort, la nostalgie du « Couuiiii... couuiiiii... » des mouettes l'a emporté, et le vol lent des goélands luttant contre le vent par gros temps a fait planer dans la mémoire de la secrétaire tous les doutes de la terre. Écoutons-la qui téléphone à sa meilleure amie d'enfance en commettant dix fautes de langage que vous allez découvrir.

SOLUTION PAGE 104

– ...Je n'y croyais pas ! Et finalement ça s'est avéré vrai !

– Eh oui ! Tu comprends, la ville, le bruit ! Ceci dit, j'aimais bien mon métier.

– Et tu étais bien rénumérée ?

– Non ! J'avais des ennuis pécuniers ! Et puis, le chef du personnel était un espèce de bellâtre qui ne pensait qu'à draguer les secrétaires, les attachées de direction et autres comptables... toute la gente féminine !

– J'ai connu ça moi aussi dans une soi-disant société de services, qui a fait faillite depuis.

– Tu n'es pas sans ignorer que Magali est partie aussi ?

– Oui, ta maman m'a dit ça. Et où est-elle ?

– Elle a immigré au Mexique il y a un mois... Je te quitte, le voilà ! Bisous.

RÉCRÉ-QCM

1 - Une **épistaxis**, c'est :

a) Le caisson lumineux que chaque taxi porte sur son pavillon. Cela vient du grec « épi » qui signifie « sur » et de « taxi », véhicule qui vous passe sous le nez quand il pleut, pavillon éteint, c'est-à-dire « occupé »...

b) Un saignement de nez ; de « épi » en grec : « sur », et de « staxis » : « écoulement ». Les « bourre-pif » occasionnent souvent des épistaxis.

c) Un impôt prélevé dans la Grèce antique sur les mèches rebelles que les devins repéraient dans la chevelure des héliastes, juges choisis parmi les citoyens, et dont le nombre s'élevait à six mille. Un jour, ceux-ci complotèrent afin de supprimer cette taxe stupide, arrivant tous les cheveux en brosse sur la place publique. Ainsi naquit l'expression « être de mèche ».

2 - Une **vergeure**, c'est :

a) Une rougeur en régression qui décline un camaïeu de vert avant de retrouver la couleur chair. La vergeure apparaissait après qu'eut été administrée la verge aux jeunes filles rebelles dans les couvents.

b) L'ensemble des fils de laiton tendus sur un châssis utilisé dans la fabrication du papier à la main. La vergeure (prononcer « ver-jur », et non « ver-jeur ») retient la pâte à papier ; c'est aussi la marque laissée sur le papier par les fils de laiton.

c) Une malformation congénitale de la verge, lui donnant, dans sa phase épanouie, une allure nettement hélicoïdale, la faisant ressembler à un tire-bouchon.

3 - Un **nyctalope**, c'est :

a) Un animateur de banlieues, spécialisé dans la création de groupes de rap.

b) Un individu ou un animal qui possède la faculté de voir la nuit comme en plein jour.

c) Un homme très jaloux qui poursuit d'idées vengeresses et violentes celle dont il parle en termes peu glorieux, voire vulgaires, parce qu'elle l'a quitté.

SOLUTION PAGE 105

LE SAVIEZ-VOUS ?

Les termes « gageure » (pari un peu fou), « mangeure » (partie mangée d'un pain ou d'un tissu) – de même que « vergeure » –, se prononcent « ...ure », et non « ...eure ».

TEST N° 2

Lors d'une soirée en discothèque où elle s'éclatait sur une musique techno, robe pied-de-poule noir et blanc remplie à faire péter les coutures, Cécile, en sueur, a rencontré Francky, le camionneur. Ils se sont fiancés. Jaloux, il surveille tout ce qu'elle fait et commet, comme Cécile, dix erreurs de langage à la minute. Par exemple ci-dessous. Trouvez les dix erreurs.

SOLUTION PAGE 105

– Tu téléphonais à qui ?

– À Kristell, une amie d'enfance, c'est elle qui m'appelait du secrétairiat où elle travaille. Serais-tu jaloux ?

– Oui, c'est mieux que tu le saches maintenant parce qu'après ton « Oui », il sera trop tard. Et les traiteurs, combien en reste-t-il en liste ?

– Deux ! Ça va être un dilemne ! On va prendre le meilleur...

– Non, on prendra le moins cher ! L'argent, il faut y faire attention, il y a tellement de possibilités pour la dépenser !

– Au fait, tu as pensé à ma déclaration d'impôts ?

– Pas eu le temps ! Je suis arrivé vers les 3 h ce matin, le temps de reculer en arrière le camion dans la rue, de dormir... Je m'excuse...

– Ce n'est pas grave ! Tu sais à quelle heure on débute la cérémonie ? Tu devais demander...

– Je n'ai pas pu, ce n'est pas de ma faute... Bon... dis... Cécile ...qu'est-ce qu'on pourrait faire, maintenant ? J'ai des idées, moi...

TEST N° 3

Le banquet du mariage de Cécile et Francky va réunir la famille, les amis qu'il faut épater. Aussi, on a décidé de faire précéder chaque plat d'un article défini, comme dans les restaurants chic, et – comme dans certains restaurants chic également – on a laissé traîner involontairement, par-ci par-là, une dizaine d'erreurs que vous allez trouver.

SOLUTION PAGE 106

Le caviard et sa banquise

Le pain de saumon en couronne et ses cruditées (carrottes, céleri, ect...)

Le filet de barbu en papillote, ou le turbot aux asperges et leur garniture à la crème d'oignons

L'entrecôte à la moelle ou le riz de veau, avec leur accompagnement de pomme-noisettes

Les séducteurs de la narine : le coulommiers, le roblochon, le crottin de Chavignol

Les pets-de-nonne fourrés à la confiture et les profiterolles aux fraises

Les vins : Château-Margot, Pomerol

TEST N° 4

Cécile porte désormais le joli nom de son mari : Balanos, un nom dont l'origine est grecque, et qu'elle a fait suivre du sien – Glossite –, parce qu'elle trouve que ça fait bien. Le photographe écrit à Cécile en commettant dix erreurs dans les « ci... » et les mots composés (les mots suspects sont en gras).

SOLUTION PAGE 107

Studio Déclic&Déclac
Yvon Gashéla-Pelloche
Photographe

À Madame Cécile Balanos-Glossite

Chère Madame,

Vous trouverez **ci-incluse** copie de notre contrat comprenant le nombre et le prix des prises de vue.

Vous trouverez également **ci-joint** la photocopie du devis pour les nombreuses retouches à prévoir.

Les clichés **ci-annexé** vous donneront une idée du travail à accomplir.

Ci-jointe enfin, l'épreuve étonnante qui témoigne que, par moments, ce mariage en fut une (si je puis me permettre ce trait d'humour).

Je n'ignore pas que vous êtes pressés, comme tous les mariés quand il s'agit de tirage et reproduction.

J'ai donc sélectionné les photos des deux **piques-niques**, avec vos **belle-sœurs** sous les **arc-en-ciel**, celles dans le champ de **chou-fleurs**, devant les **portes-fenêtres**, et près des **garde-barrières**. De vrais **portes-bonheurs** !

Bien cordialement

LE SAVIEZ-VOUS ?

Les noms et les adjectifs terminés par « al » font leur pluriel en « aux », sauf : aval, bal, bancal, cal, caracal, carnaval, cérémonial, chacal, choral, copal, fatal, festival, final, gavial, glacial, jovial, mistral, narval, natal, naval, nopal, pal, récital, régal, rorqual, sisal, tonal, tribal.

Les noms terminés par « ou » prennent un « s » au pluriel, sauf : bijou, caillou, chou, genou, hibou, joujou, pou, qui prennent un « x ».

Les noms terminés par « ail » font leur pluriel en « ails », sauf : bail, corail, émail, soupirail, travail, vantail, vitrail, qui font leur pluriel en « aux ».

Les noms terminés par « eu » font leur pluriel en « eux », sauf : bleu, pneu et lieu (le poisson) qui prennent un « s ».

Canevas, châssis, entremets, harnais, legs, poids, puits, relais, remords, salsifis se terminent toujours par « s ».

TEST N° 5

Cécile et Francky ont décidé d'avoir un enfant. Aussitôt dit, aussitôt fait. Cécile l'annonce à sa mère. Leur conversation comporte des mots qui sont transcrits phonétiquement entre guillemets. Certaines sont des prononciations fautives, d'autres non. À vous de trouver les dix erreurs commises.

SOLUTION PAGE 108

– C'est pour le mois de « jouin » !

– Tu n'imagines pas le bonheur... C'est « énivrant » ! Je vais être grand-mère !

– Moi, ça me donne des frissons jusque dans la « mouèlle » !

– J'espère que ton père ne va pas en faire un « infractus » ! Sais-tu la date ?

– Si j'ai bien compté sur mon « almanak » et sur mon « ageinda », ça tombera le 16, deux jours avant mon anniversaire !

– Le 16 ? Ce jour-là on devait partir en « Izraël », faire du « tourizme » !

– J'aimerais bien que ce soit un garçon, il serait peut-être « eunologue », le métier que Francky rêvait de faire, il aime tant le vin !

– Attends ! Ce n'est encore qu'un « feutusse », et puis, il faudra qu'il grandisse, qu'il digère son complexe d'« eudipe » !

– Et qu'il ne fasse pas d'« édème » de l'« ésophage » comme moi à un an !

– Je te quitte, la page est finie ! Bises !

TEST N° 6

Francky est un habitué des retards de livraison parce qu'il est tentant, lorsqu'on a une âme d'œnologue, d'effectuer des haltes clandestines dans les sanctuaires des grands crus. On peut lire dix barbarismes ou solécismes dans cette lettre qu'il écrit à son employeur, pour tenter de se justifier.

SOLUTION PAGE 109

Je n'aurais pas dû emmener Gaston comme copilote : omnibulé par l'heure, il ne cessait de me rabattre les oreilles avec la ponctualité.

On prend un raccourci par la zone de l'aréoport, sur son conseil, et on voit deux à trois personnes qui regardaient une échafourrée. C'était des grévistes qui nous empêchaient de passer.

On avait déjà fait pas mal de périgrinations dans le secteur, et le centre pénitencier où on devait livrer était encore loin.

Avec le directeur, nous avions convenu qu'il laisserait les portes ouvertes à 3 h précises. Il était 14 h 55.

Alors je fonce, mais ils ne se rangent pas. Une fille aux cheveux noir de geai se met devant le camion. Elle me crie d'arrêter.

Je descends, sans me presser, je l'ai comme hynoptisée avec mes yeux. Tout le monde a reculé. Gaston n'en revenait pas. J'ai pu passer.

Mais, catastrophe ! On n'est arrivé à la prison qu'à 15 h 30 : tous les prisonniers s'étaient évadés par les portes ouvertes.

Ce n'est pas notre faute. Nous rentrons d'ici à demain.

Francky

TEST N° 7

L'employeur de Francky n'est pas né de la dernière treille. Il ne croit pas un mot du rapport du camionneur, et traduit son courroux en l'assaisonnant de dix barbarismes ou solécismes involontaires.

SOLUTION PAGE 110

J'ai lu sur le journal qu'il y avait des grévistes où tu dis, mais il n'y a pas eu de bagarres.

C'est la vingt-cinquième fois que tu me fais le coup ! Tu ferais mieux de dire que sur ta route, il y avait les caves de Puligny-Montrachet !

Aussi, pour pallier à la situation, et de manière à ce que ça ne se reproduise pas, j'ai décidé de me passer de tes services. Ce que j'ai besoin, c'est de chauffeurs sérieux pour que les risques soient réduits au maximum.

Je te l'avais déjà dit le mois dernier, je m'en rappelle. Et ne te plains pas de Gaston, il est excessivement intelligent, je le garde.

Et puis, quand même que ce serait vrai, ton histoire, j'en ai assez.

Mais je ne te laisse pas tomber, et comme il faut s'entraider mutuellement, j'ai téléphoné au directeur de la prison, il a mis un surveillant en retraite, rapport à sa mauvaise santé. Il y a une place à prendre. Tu surveilleras les portes !

Bonne chance

PETIT QCM DE CONJUGAISON
(hors évaluation)

Spécial verbes défectifs (p = présent ; ps = passé simple ; fs = futur simple ; pc = passé composé)

SOLUTION PAGE 111

1 Choir ps		**2 Clore ps**		**3 S'ensuivre pc**	
Je cheyai	a	Je closis	a	Il s'en est suivi	a
Je chus	b	Je closai	b	Il s'est ensuivi	b
Je cheyis	c	Inusité	c	Il s'en a suivi	c

4 Faillir ps		**5 Frire ps**		**6 Paître ps**	
Tu faillis	a	Il frissa	a	Inusité	a
Tu faillas	b	Inusité	b	Elle pût	b
Tu faillai	c	Il frita	c	Elle paissit	c

7 Paître fs		**8 Seoir fs**		**9 Poindre p**	
Il paîtra	a	Elle siéra	a	Il poind	a
Il paissera	b	Elle seyra	b	Il point	b
Il paitera	c	Elle seoira	c	Il poigne	c

10 Choir fs		**11 Foutre ps**		**12 Gésir ps**	
Je choirai	a	Je foutus	a	Je gisai	a
Je cherrai	b	Je foutis	b	Je gésiai	b
Je choierai	c	Inusité	c	Inusité	c

TEST N° 8

Dylan Balanos-Glossite est né ! Cécile compose un faire-part sur son ordinateur afin d'inviter la famille pour une petite fête. Chacun y trouvera les dix erreurs qu'elle y a laissées (grammaire, orthographe, barbarismes).

SOLUTION PAGE 111

Bonjour,

Je m'appèle Dylan, parce-que mon papa adore Bob. Je suis né le 16 juin comme ma maman l'avait prévue.

J'étais pourtant bien dans mon repère, bien au chaud.

Et voilà que j'entre de plein-pied dans la vie.

Je dors bien, je ne fais pas de cauchemards.

Je pèse lourd et je suis grand, ma maman n'arrête pas de me le dire.

De temps en temps, je chante ce que je crois être une petite balade que tout le monde prend pour des pleurs.

Je vous invite à venir faire bonne chair chez mes parents. On ne fera pas de dépenses somptuaires, mais ce sera une belle fête.

Je vous fais des bisous tout doux.

Dylan Balanos-Glossite

LE SAVIEZ-VOUS ?

Pour savoir s'il convient de mettre ou pas une virgule avant « et », il faut réfléchir au sens des mots ou des propositions reliés par cette conjonction de coordination.

Ainsi, il est évident qu'elle est inutile dans « Je mange des pets-de-nonne et des profiteroles », le « et » unit deux mots de même valeur, il n'y a ni rupture ni opposition d'idées.

En revanche (et non « par contre » qui est inélégant – mais si, mais si !... –), lorsque « et » unit des propositions de construction différente, lorsqu'on perçoit une discontinuité – par exemple lorsque le « et » coordonne quelque chose qui ne le précède pas directement –, et plus généralement lorsqu'on « sent » que la respiration de la virgule est nécessaire à la clarté du sens, on l'ajoute sans hésiter. Par exemple : « Cécile et Francky se marièrent, et, de leur union itérative (ah, ah ! qu'est-ce que ça veut dire ? Allez ! Au dictionnaire !) naquit Dylan ».

Même règle de ponctuation pour « ni » et « ou ».

La virgule sépare le complément circonstanciel du sujet : « Pendant la semaine, Francky est en déplacement ».

Les symboles d'unités s'écrivent sans point : g (et non « g. ») = gramme, gr = grade, m = mètre, cm = centimètre, ha = hectare, etc.

TEST N° 9

Malgré la présence toute proche de la mer et de son mystère, malgré Dylan, malgré les « Schrrrwww... schrrrwww... » et les « Couuiiii... couuiiiii... », Cécile s'ennuie. Elle envoie une lettre de demande d'emploi au directeur de la société Décidete, parce qu'elle trouve joli ce nom où on entend « été ». Elle commet dix erreurs.

SOLUTION PAGE 112

Monsieur le Directeur,

Ayant travaillé plusieurs années à la société Westinck-Dugland, en qualité de secrétaire, j'ai été victime d'une mauvaise conjecture économique, et j'ai perdu mon emploi.

J'avais une activité conséquente, je l'ai exercée pendant presque une décade. Revenue en Bretagne, j'étais sans dessus dessous. Mais j'ai pu guérir une dépression qui me cherchait depuis longtemps, car je travaillais de trop.

Maintenant que j'ai retrouvé la santé, que je suis mariée et mère d'un petit garçon, j'aimerais à nouveau exercer mon métier.

Cela ne gênera pas mon mari, surtout qu'il est absent toute la semaine. Vous n'êtes pas sensé connaître mes qualités, mais sachez que j'en ai beaucoup. Aux dires de mes collègues, j'étais la meilleure.

J'étais septique quand on m'a dit que vous pourriez me proposer un emploi, mais j'ai repris confiance, et je suis presque sûre que, eu égard à mon expérience (voir mon cv), vous accepterez.

Avec mes salutations respectueuses,

Cécile Balanos-Glossite

TEST N° 10

Voici le curriculum vitæ (le CV) qu'envoie Cécile à la société Décidete. Elle éprouve toujours beaucoup de difficultés à gérer l'orthographe en général et l'orthographe de l'informatique en particulier. Son CV contient dix erreurs.

SOLUTION PAGE 113

Cécile Balanos-Glossite
Née le 18 juin 1970
Mariée, 1 enfant.

Formation
1995 Licence de sciences économiques obtenue à l'université, mention passable.
1990 bacalauréat lettres, mention passable.

Expérience professionnelle :
1995 à 1997 : secrétaire à la société Westinck-Dugland. Extrait de la lettre de l'employeur « ...appréciée à sa juste valeur pour ses rares qualités.»». Saisie de données, maîtrise de Words, de Work, Photochop, Exel. Réalisation de tableaux, statistiques, pourcentages. Tenue des stoks. Acceuil clientèle. Suivi des ports dûs. Gestion des appels téléphoniques d'un standart.

Langues :
Anglais : niveau DEUG : lu avec accent, traduit difficilement, compris sommairement.
Espagnol : lu, non compris.
Italien : bonne maîtrise des quelques termes nécessaires pour exprimer des sentiments de sympathie, voire plus si affinités.

Divers :
Exellente poétesse. Spécialiste du sonnet. 1er prix cantonal de Saint-Terdy-des-Tsinul.

TEST FINAL

Un soir, Cécile s'attendrit sur ses années Westinck-Dugland. Sur Internet, elle cherche l'adresse électronique de Magali. Deux heures plus tard, elle la trouve et lui écrit. Elle commet vingt erreurs. Vous les corrigerez aisément (mis à part les spécialités de Mexico, peut-être...) si vous avez bien mémorisé les corrections des tests de la deuxième séquence, mais aussi de la première. Quelle sera votre note finale sur 20 ?...

SOLUTION PAGE 116

Cécile@Kergoat.br

Coucou, Magali

Il est loin le temps de Westinck-Dugland ! Des années ont passées ! Je travaille maintenant en Bretagne, près de chez mes parents. Je suis plutôt mal rénumérée, mais on ne peut pas tout avoir !

Et toi, au Mexique, tout va bien ? J'espère que tu bois du mescal, de la téquilla, que tu manges des taquos ! Ici, on n'a que de la soi-disant cuisine Mexicaine, pas de l'authentique !

Je ne pense plus jamais au différent que nous avions eues à propos du sonnet que j'avais écri. J'ai appris que Fabio s'est marié avec Sally, et qu'ils vivent à Montréal. Ils attendent leur troisième enfant. Voilà un ménage prolixe !

Moi, pour l'instant, je n'en ai qu'un, Dylan. Ceci dit, je pense en avoir au moins un autre, et même plus, si nous n'avons pas d'ennuis pécuniers dans les années qui viennent. Enfin, je ne suis pas obnibulée par çà ! Maintenant, je connais tout des bébés : les biberons, les brassières et autres couches-culottes. Un vrai passe-temps !

Mon mari, Francky, après avoir été routier, est surveillant de prison. Nous avons acheté une maison près d'une usine désinfectée ; c'est tranquille.

L'autre soir, dans la société où je travaille, Décidete, c'était le départ en pré-retraite du chef du personnel. Et bien, figures-toi qu'il est remplacé par deux jeunes, pas mal du tout. Ils ne cessaient de me regarder à l'envie...

Je t'en raconterai davantage, Francky vient de rentrer.

Bisous

Cécile

CORRECTION DES TESTS

Première séquence

TEST DE DÉPART

CORRECTION

Les vingt erreurs corrigées apparaissent en gras :

Hier soir, c'était le départ en **préretraite** du chef du personnel : **cinquante-cinq ans** ! Il est temps ! Un plus jeune, **ça** ne fera pas de mal à mon célibat ! Tout le monde était là : deux cent **quatre-vingt-sept** personnes, plus les directeurs.

Tu ne devines pas le cadeau qu'ils lui ont **offert** : un voyage à Athènes ! Avec ses petites manières de **chochotte**, c'est bien trouvé !

Mais le plus intéressant, c'est son remplaçant : un **Italien**, la trentaine superbe, il parle le **français** comme toi et moi.

Eh bien, pendant toute la soirée, il m'a **regardée** sans arrêt, c'en était même gênant, et **fatigant** (**quoi que** tu en penses !).

Jusqu'au moment où je m'aperçois que ses grands yeux **bleu-vert** cherchaient seulement à voir l'heure sur la pendule fixée au mur derrière ma tête ; **apparemment**, il avait dû oublier sa montre !

Je me voyais déjà embarquée dans une histoire torride, tu me connais ! **Au temps** pour moi ! Ne te **moque** pas, ne ris pas, je n'ai pas dit mon dernier mot.

Je le rencontre demain matin pour **régler** un problème de salaire ; je mettrai la jupe et le petit haut qu'on a **achetés ensemble**, tu te rappelles ?...

Ton congé de maladie doit être bientôt terminé. Reviens vite ! Le fils Dugland rentre des États-Unis demain, il a **fini** ses études, il paraît qu'il n'est pas mal du tout.

Je te fais de grosses bises.

Cécile

Aviez-vous trouvé les vingt erreurs contenues dans cet e-mail ? Oui ? Bravo ! Sinon, ne vous en faites pas une montagne : qui peut prétendre passer une journée sans commettre une seule erreur en parlant, en écrivant ?

L'essentiel est de tenter d'améliorer la situation. Pour y parvenir, vous pouvez commencer par classer vos fautes en deux catégories : celles qui concernent l'orthographe lexicale (orthographe d'usage, celle du mot en lui-même, en dehors de tout contexte), et celles concernant l'orthographe grammaticale (le mot écrit, accordé ou conjugué en fonction de ce qui précède ou de ce qui suit, selon les règles de la grammaire française).

« Pré-retraite », « chochote », « et bien ! » comportent ici une faute d'orthographe d'usage. « Le cadeau qu'ils lui ont offerts », « Quoique tu en penses », « Ne te moques pas », comportent des fautes de grammaire.

Prenez l'habitude de classer ainsi vos erreurs, cela vous permet de mieux identifier vos points faibles.

Si elles concernent essentiellement l'orthographe lexicale, c'est votre mémoire qui aura besoin d'être davantage sollicitée. Lisez un peu plus, et que votre lecture soit plus attentive.

Si vous voulez vraiment retenir l'orthographe d'un mot, copiez-le dix fois, vingt fois, cinquante fois... C'est le seul moyen de le faire entrer de force dans la mémoire. Vous pouvez aussi vous créer de petits moyens mnémotechniques.

Pour les fautes de grammaire, il faut faire un double effort : retenir la règle de grammaire elle-même, et l'appliquer ensuite.

Cette phase d'application requiert de la logique, de l'attention, et de la précision.

Par exemple, l'accord du participe passé conjugué avec l'auxiliaire « avoir » nécessite une bonne connaissance de ce qu'est le complément d'objet direct, et dans un deuxième temps, une compréhension précise de la phrase afin de le localiser avec exactitude.

Au travail maintenant : pour chaque lacune identifiée, reportez-vous au test d'approfondissement correspondant.

À RETENIR

> « Ça » signifiant « cela » ne prend pas d'accent, contrairement à « çà », signifiant « ici », dans l'expression « çà et là ».

> On met une majuscule au nom propre : « un Français, un Italien, un Allemand », on n'en met pas à l'adjectif : « un judoka français, un cycliste italien, un pilote allemand ».

> L'expression « Au temps pour moi » qu'on emploie pour dire qu'on s'est trompé est issue du vocabulaire militaire et de celui de la cavalerie : celui qui commettait une erreur dans le déroulement d'un mouvement retournait au « temps » initial en annonçant : « Au temps pour moi ! ».
C'est le vecteur oral qui a véhiculé hors des casernes cette expression vers le grand public. Celui-ci l'a transformée en « Autant pour moi ! » sans se poser cette question sans réponse : « Autant de quoi... ? ». Au temps pour lui !

APPROFONDISSEMENT : TEST N° 1

L'écriture des nombres

CORRECTION

Les dix erreurs corrigées apparaissent en gras :

1 - Sept mille **huit cent** quatre-vingt-sept francs quarante-deux centimes

2 - Sept mille huit **cent** quatre-vingt-sept francs quarante-deux centimes

3 - Sept **mille** huit cent quatre-vingt-dix-neuf francs dix-sept centimes

4 - Sept mille huit cent quatre-**vingt**-dix-neuf francs dix-sept centimes

5 - Sept mille huit cent quatre-vingt-dix-neuf francs **dix-sept** centimes

6 - **Trente et un** mille quatre cents francs et quatre-vingts centimes

7 - Trente et un mille quatre **cents** francs et quatre-vingts centimes

8 - Trente et un mille quatre cents francs et quatre-**vingts** centimes

9 - Cinquante et un mille cent **vingt** francs quatre-vingt-un centimes

10 - Cinquante et un mille cent vingt francs quatre-**vingt**-un centimes.

À RETENIR

> Les adjectifs numéraux cardinaux (un, deux, trois, dix, etc.) sont invariables sauf « vingt » et « cent » qui prennent la marque du pluriel (un « s ») s'ils sont multipliés sans être suivis d'un autre nombre.

> On met un trait d'union jusqu'à quatre-vingt-dix-neuf, donc, pour tous les nombres au-dessous de cent (sauf « vingt et un », « trente et un », « quarante et un », etc. - mais « quatre-vingt-un », « quatre-vingt-onze »).

> « Millier », « million » et « milliard » qui sont des noms prennent un « s » lorsqu'ils sont multipliés : trois millions quatre cent mille francs.

> On écrit : « page quatre-vingt », sans « s » à vingt, car on sous-entend : « page quatre-vingtième » ; de même pour l'année « mille sept cent », les années « quatre-vingt », etc.

EXERCICE PAGE 15

CORRECTION

51 875 481 F s'écrit :
Cinquante et un millions huit cent soixante-quinze mille quatre cent quatre-vingt-un francs.

80 002 001 F s'écrit :
Quatre-vingts millions deux mille un francs (ici, on met un « s » à vingt, car il est multiplié, et non suivi d'un nombre (mais d'un nom : millions).

120 F s'écrit :
Cent vingt francs (pas de « s » à « vingt » car il n'y a qu'une fois « vingt ».)

APPROFONDISSEMENT : TEST N°2

Les consonnes doubles

CORRECTION

Les dix erreurs corrigées apparaissent en gras :

1 - **palotte** - (et non « Lolita palote »)
2 - **échalote** - (et non « bavette à l'échalotte »)
3 - **glotte** - (et non « sa glote »)
4 - **grelotte** - (et non « elle grelote »)
5 - **bergamote** - (et non « un peu de thé à la bergamotte »)
6 - **rigolote** - (et non « elle si rigolotte »)
7 - **occurrences** - (et non « occurences »)
8 - **s'aggraver** - (et non « s'agraver »)
9 - **bouillotte** - (et non « bouillote »)
10 - **se raccommoder** - (et non « se racommoder »).

EXERCICE PAGE 17

CORRECTION

Apercevoir ou appercevoir ? Je commence à m'apercevoir qu'« apercevoir » ne prend qu'un « p ».
Mourir, ou mourrir ? On ne meurt qu'une fois, donc, un seul « r » à « mourir ».
Caresser ou carresser ? Une seule caresse suffit pour dire qu'on aime, donc un « r » à « caresser ».
Nourir ou nourrir ? Deux « r » à « nourrir » et « nourriture », parce qu'on mange au moins deux fois par jour.
Pourir ou pourrir ? Deux « r » à « pourrir » et « pourriture » comme dans la « terre »...
Ballotter ou balloter ? Deux « t » dans « ballotter » et « ballottage », car il y a souvent deux tours aux élections.
Courir ou courrir ? Un « r » à « courir », car il n'y a qu'un seul vainqueur à la course. Attention, le verbe courir au futur simple prend deux « r » : « je courrai », ainsi qu'au conditionnel : « je courrais ».

À RETENIR

> **Les verbes commençant par « ag »** ne prennent qu'un « g » sauf « agglomérer », « agglutiner », « aggraver », et leurs dérivés (« agglomération », « aggloméré », « agglutination », « aggravation », etc.)

Répétez vingt fois à voix haute les trois verbes qui font exception, trois jours de suite. Le quatrième, vous les savez par cœur, c'est gagné !

> Retenez aussi que **les mots commençant par « ab »** ne prennent qu'un « b », sauf « abbé », « abbatiale », « abbaye » et « abbesse », et que **les mots commençant par « ad »** ne prennent qu'un « d » sauf : addenda, addiction, addition, adduction.
> Retenez enfin que **les verbes commençant par « ap »** prennent deux « p » sauf : apercevoir, aplanir, aplatir, apeurer, apaiser, apitoyer, apostropher, apostiller (écrire une note – une apostille – en marge d'un texte), et apurer.
> Pour retenir toutes ces listes, répétez-les vingt fois, à voix haute, pendant trois jours, et le quatrième, il se passe le même miracle que pour les verbes commençant par « ag », vous savez tout par cœur ! Non ? Eh bien, copiez-les vingt fois pendant trois jours, et le quatrième... recommencez si vous ne les savez encore pas.

PETIT QCM DE CONJUGAISON

CORRECTION

1b) Il résout. 2a) Il a écrit. 3b) J'accueille.

4a) J'acquiers. 5c) Tu achètes. 6a) Ils nettoient.

7b) Tu draguais. 8b) J'interpellais. 9c) Je crains.

10b) J'ai dû. 11a et b) Je payerai ou Je paierai.
12c) Je romps.

APPROFONDISSEMENT : TEST N° 3

Les adverbes

CORRECTION

Les sept erreurs corrigées de Cécile apparaissent en gras :

1 - **brillamment** (et non « brillament »)
2 - **joliment** (et non « joliement »)
3 - **fréquemment** (et non « fréquamment »)
4 - **intelligemment** (et non « intelligeament »)
5 - **constamment** (et non « constamant »)
6 - **assidûment** (et non « assidumment »)
7 - **évidemment** (et non « évidamment »).

Les trois erreurs corrigées de Magali apparaissent en gras :

1 - **méchamment** (et non « méchament »)
2 - **posément** (et non « posémment »)
3 - **différemment** (et non « différamment »).

À RETENIR

> Pour former un adverbe à partir d'adjectifs terminés par « ...ent » ou « ...ant », il suffit de remplacer « ...nt » par « ...mm », et d'ajouter « ...ent », en conservant les autres lettres : « violent » devient « violemment » le « e » se prononce « a ».

EXERCICE PAGE 20

CORRECTION

Cécile et Magali sont **tout** entières habitées par leur rêve de prince charmant. **Tout** heureuses, elles seraient **toutes** surprises de n'avoir pas de réponses, et même **toutes** honteuses.
Ecrivez-leur, elles seront **tout** à vous.

À RETENIR

> Lorsqu'il signifie « entièrement, complètement », « tout » est adverbe et demeure invariable, sauf au féminin devant une consonne ou un « h » aspiré (celui devant lequel « la » ou « le » ne s'élident pas : le haricot, le hangar, le handicap...).

> Lorsqu'il signifie « chaque, n'importe quel... », lorsqu'il exprime une totalité ou une intensité, « tout » est adjectif indéfini et s'accorde avec ce qu'il qualifie. Ex. : Vous pouvez venir à toute heure, à toute vitesse et à toutes jambes, je suis là tous les jours.

> Pronom indéfini, « tout » s'accorde également. Ex. : Toutes sont arrivées, tout est possible.

RÉCRÉ-QCM

CORRECTION

1 - c) Un **palindrome** est un mot ou une phrase qu'on peut lire dans les deux sens. On peut ajouter « Tu l'as trop écrasé, César, ce Port-Salut ! », ou bien « Esope reste ici et se repose ». L'écrivain Georges Pérec composa un palindrome de plusieurs pages, on le trouve sur Internet.

2 - b) Une **hyperbole** est une figure de rhétorique qui consiste à exagérer ce que l'on dit.

3 - c) Un **contrepet** est un déplacement de lettres dans les mots d'une phrase ou d'une expression, conduisant à former des mots et un sens nouveau.

4 - b) Un **hypocoristique** est un diminutif affectueux : minouchet, choupinet, pitchounet, mimi, pitchoune, tchoupi, pitchounette...

APPROFONDISSEMENT : TEST N° 4

Les adjectifs verbaux

CORRECTION

Les dix erreurs corrigées apparaissent en gras :

1 - Membre **adhérent** est ici un adjectif qualificatif, épithète de « membre ».

2 - **Naviguant** : il s'agit d' un participe présent, on peut le remplacer par une subordonnée conjonctive : « parce que je naviguais ».

3 - C'est très **fatigant** ! « fatigant » est ici un adjectif verbal, rien ne le complète, il indique un état.

4 - Je suis arrivé, tout **suffocant**. « Suffocant » indique un état, il joue le rôle d'épithète détachée par rapport à « je ».

5 - Un **résident** brésilien : on écrit « résident » lorsqu'il s'agit de quelqu'un qui ne vit pas dans son pays d'origine.

6 - Et un **résidant** de la maison de retraite voisine : on écrit « résidant », participe présent, pour désigner quelqu'un résidant (qui réside) dans un lieu donné (une maison de retraite par exemple).

7 - Un homme **négligent** m'annonçait une deuxième catastrophe... (et non « négligeant » qui est le participe présent du verbe négliger. On écrirait par exemple : « un homme négligeant de se laver »).

8 - En me **communiquant** cela : « communiquant » est ici précédé de « en », ce qui en fait un « géron-

dif » ; le gérondif est composé du participe présent précédé de « en », il indique une circonstance.

9 - En me **convainquant** que ce n'était pas si grave.

10 - Chez les infirmières **vaquant** à leurs occupations.

À RETENIR

> Pour faire la différence entre l'adjectif verbal (qui est variable et se termine par « ...ant » ou « ...ent ») et le participe présent (qui est invariable et se termine toujours par « ant »), on peut se rappeler que l'adjectif verbal se contente d'être l'épithète ou l'attribut du nom qu'il qualifie : « ...c'est très fatigant ! ...Je suis arrivé, tout suffocant... ».

> Le participe présent, en revanche, constitue une unité verbale souvent complétée : « ...provoquant (et non « provocant », l'adjectif) la panique chez les infirmières vaquant à leurs occupations », ou bien il peut être remplacé par une subordonnée conjonctive exprimant une circonstance (cause, temps...) : « En me communiquant cela... » peut être transformé en « Pendant qu'il me communiquait cela... ».

> Les verbes en « guer » gardent le « u » du radical au participe présent. Ce « u » disparaît dans l'adjectif verbal (fatiguant - fatigant).

> Les verbes en « quer » gardent « qu » au participe présent, ce « qu » se transforme en « c » dans l'adjectif verbal (convainquant - convaincant).

> Attention : « fabriquant » (participe présent), mais « un fabricant » (nom commun) ; « trafiquant » (participe présent), et « un trafiquant » (nom commun).

APPROFONDISSEMENT : TEST N° 5

Les adjectifs de couleur

CORRECTION

Les dix erreurs corrigées apparaissent en gras :

1 - Les dossiers **bleu pâle** (et non « bleus pâles ») : lorsque ce qui désigne la couleur est composé d'un adjectif de couleur suivi d'un adjectif n'indiquant pas une couleur, l'ensemble ne s'accorde pas.
2 - Les sous-dossiers **jaune-vert** (et non « jaunes-vert ») : ce qui désigne la couleur est composé de deux adjectifs de couleur. Dans ce cas, on les relie par un trait d'union et on n'accorde pas.
3 - Les boutons **ocre** (et non « ocres ») : lorsque ce qui désigne la couleur est un nom commun, celui-ci reste invariable (l'ocre est un colorant minéral jaune, brun ou rouge). Vous trouverez les exceptions à cette règle dans la rubrique « À retenir » ci-dessous.
4 - Ses yeux **marron** (et non « marrons »), pour la même raison que ci-dessus.
5 - Des bretelles **orange** (et non « oranges »), même raison.
6 et 7 - Ses fronces **brique et turquoise** (et non « ses fronces briques et turquoises »), même raison.

8 - Deux yeux **vert noisette** (et non « vert noisettes ») : d'un vert couleur de la noisette, ce qui désigne la couleur est composé d'un adjectif de couleur suivi d'un nom, on n'accorde pas.
9 - Des vestes **jaune paille** (et non « jaunes paille »), même raison que ci-dessus.
10 - Ses cheveux sont **châtain clair** (et non « châtains clair »), même raison qu'en 1.

À RETENIR

> Employés seuls, les adjectifs de couleur s'accordent avec le nom qu'ils qualifient : des yeux bleus.

> Les noms employés comme adjectifs pour désigner une couleur sont invariables : ses yeux marron (de la couleur du marron), des bretelles orange (de la couleur de l'orange) sauf : écarlate, mauve, pourpre, incarnat, fauve, rose (pour retenir cette liste, prenez la première lettre de chaque mot dans l'ordre, cela donne : empifr).

> Deux adjectifs employés pour désigner une seule couleur sont invariables et reliés par un trait d'union : les sous-dossiers jaune-vert. Si le deuxième terme n'est pas un adjectif de couleur, on ne met pas de trait d'union : mes yeux vert noisette.

EXERCICE PAGE 27

CORRECTION

1 - « Pers » désigne une couleur (surtout en parlant des yeux), entre le bleu et le vert, celui-là dominant celui-ci.

2 - « Avoir les yeux vairons » signifie avoir des yeux à l'iris cerclé d'un anneau blanchâtre, ou de couleurs différentes.

RÉCRÉ–POÈME

CORRECTION

Les dix erreurs corrigées apparaissent en gras :

1 - Que tu **es** (et non « est », 3ème personne du singulier).
2 - Je te **donne** (« donnes » est la 2ème personne du singulier).
3 - Je te **donne** (et non « donnes », deuxième fois, Cécile !).
4 - Tu m'**as fait** (« a fait » est la 3ème personne du singulier).
5 - Celles que tu... **doivent** (et non « doive » qui est la 3ème personne du singulier du subjonctif).
6 - Et **crier** vers le ciel (il faut ici mettre « crier » à l'infinitif). En cas de doute, on remplace le verbe du premier groupe par un verbe du 3ème groupe dont le son final n'est pas le même à l'infinitif et au participe passé (alors que « crié » et « crier » ont la même sonorité finale). Cela donne : « Celles que tu... doi-

vent... et mordre, ou se tordre, ces verbes étant à l'infinitif, il en va de même pour " crier "».
7 - Nous **irions** (et non « Nous irrions »), il n'existe aucune raison de redoubler le « r ».
8 - Quand **viendras-tu** (et non « viendra-tu »), le sujet de « viendras » est « tu », 2ème personne du singulier.
9 - **Chanter** sous ma fenêtre (« Quand viendras-tu chanté... » ou « ...chanter » ?) Pour le savoir, il faut procéder comme pour « crier » ci-dessus : « Quand viendras-tu te pendre sous ma fenêtre » par exemple ; « pendre » est à l'infinitif, donc « chanter » doit être mis à l'infinitif.
10 - Ô, **donne-moi** (et non « donnes-moi ») : les verbes du 1er groupe - verbes en « er » - ne prennent pas de « s » à la 2ème personne du singulier de l'impératif présent.

APPROFONDISSEMENT : TEST N° 6

Les accents

CORRECTION

Les dix erreurs corrigées apparaissent en gras :

1 - Je m'épuise à la **tâche** (et non « à la tache » qui est une marque sur la peau, sur un tissu. La « tâche » est le travail).
2 - C'est un peu la **zone** (et non « zône »).
3 - Aller voir un **psychiatre** (et non « psychiâtre »).

4 - Je me prive même de **déjeuner** (et non « déjeûner »).
5 - C'est de la **bêtise** (et non « bétise », cela vient de « bête »).
6 - Cela se fait beaucoup dans la **boîte** ! (et non « boite » qui est la conjugaison du verbe « boiter » : « je boite, il boite »).
7 - De petits airs qu'elles croient **gracieux** (la « grâce », mais « gracieux »).
8 - Jusqu'à la **moelle** (et non « moëlle » ; « moelle » se prononce « moualle »).
9 - Un **poème** ! (et non « poême », comme le parfum de ce nom... ; poète et poème s'écrivent avec un accent grave).
10 - Vivement les vacances au **chalet** de ton père (et non « châlet »).

APPROFONDISSEMENT : TEST N° 7

L'accord du participe passé (1)

CORRECTION

Les dix erreurs corrigées apparaissent en gras :

1 - Les strophes que tu as **écrites** (et non « Les strophes que tu as écrit »). En effet, conjugué avec l'auxiliaire « avoir » – ce qui est le cas ici –, le participe passé s'accorde en genre et en nombre avec le complément d'objet direct – COD – s'il est placé avant le verbe (on trouve le COD en posant la question « Qui ? » ou

« Quoi ? » au verbe. Dans ce cas : « Tu as écrit quoi ? » « que », mis pour « les strophes » ; le COD est placé avant le verbe, donc on accorde : « écrites »).

2 - L'émotion qu'elles m'ont **procurée** (et non « L'émotion qu'elles m'ont procurées ») : le COD « que » remplaçant émotion est placé avant le verbe, donc on accorde avec ce COD : « procurée ».

3 - Je me suis **relu** le poème (et non « Je me suis relue le poème »). On a ici affaire à un verbe pronominal : « se relire ». Dans ce cas, on fait comme s'il était conjugué avec « avoir », et on cherche le COD : « J'ai relu quoi ? » « le poème » ; le COD « poème » est placé après le verbe, donc on n'accorde pas.

Remarque : « me » répond à la question « À qui », posée au verbe, il n'est donc pas COD mais complément d'objet second (Précision 1 : le COS répond aux questions « À qui ? À quoi ? De qui ? De quoi ? » posées au verbe - le verbe possédant déjà un COD. Précision 2 : le COI - complément d'objet indirect - répond aux questions « À qui ? À quoi ? De qui ? De quoi ? » posées au verbe lorsque celui-ci n'a pas de COD). Si la phrase était : « Je me suis relue », le COD serait « me » représentant Cécile, donc on accorderait : « relue ».

4 - Tes rimes se sont **succédé** (et non « succédées ») : il s'agit ici du verbe pronominal « se succéder » qui, comme le verbe « succéder », n'a jamais de COD. On ne trouvera donc jamais le participe passé « succédé » accordé, il est invariable.

5 - La comptable qu'ont **rencontrée** les commerciaux (et non « La comptable qu'ont rencontrés les commerciaux ») : « Les commerciaux ont rencontré qui ? » « que » mis pour « la comptable » ; « que » est placé avant le verbe, donc on accorde : « rencontrée ».
6 - S'ils se sont **juré** fidélité (et non « s'ils se sont jurés fidélité »). Il s'agit du verbe pronominal « se jurer ». Dans ce cas, on fait comme s'il s'agissait de l'auxiliaire avoir : « Ils ont juré quoi ? » « fidélité » ; le COD est placé après, donc pas d'accord.
7 - S'ils ne se sont jamais **menti** (et non « mentis »). Même raison qu'en 4.
8 - Si elle s'est **promis** de n'être qu'à lui (et non « promise »). Même raison qu'en 6.
9 - S'ils se sont **nui** (et non « nuis »). Même raison qu'en 4.
10 - Elle s'est **laissé** séduire (et non « Elle s'est laissée séduire ») : elle a laissé quoi ? Elle a laissé « séduire », le COD est placé après, pas d'accord (« s' » est COD de l'infinitif « séduire », ce n'est pas elle – « s' » – qui a accompli l'action de séduire).

À RETENIR

> Le participe passé conjugué avec l'auxiliaire être s'accorde en genre et en nombre avec le sujet.

> Le participe passé conjugué avec l'auxiliaire avoir s'accorde en genre et en nombre avec le COD si celui-ci est placé avant le verbe.

PETIT QCM DE CONJUGAISON

CORRECTION

1b) Je prévoirai. 2a) Elles sont dues. 3b) Il conclura.

4c) Que je moule. 5a) J'assois. 6a) Il vainc.

7a) Que je voie. 8b) Il évolue. 9c) Elle crie.

10a) Vous enverrez. 11b) Je crains. 12b) Elles sont créées.

À RETENIR

> La terminaison « ...oie » ou « ...oient » de certains verbes (« ils voient », « il envoie » « qu'ils soient »...) doit être prononcée « oie », comme une « oie », et non « ...ouaille », comme on peut parfois l'entendre (« Il faut qu'ils le voient », et non « ...qu'ils le vouaillent... »).

APPROFONDISSEMENT : TEST N° 8

Quel que, quelque, quelque ... que, quoi que, quoique...

CORRECTION

Les dix erreurs corrigées apparaissent en gras :

1 - **Quel que** (et non « quelque ») soit le moment de la journée : « quel que » est ici ce qu'on appelle un adjectif relatif, composé de « quel » qui s'accorde avec le sujet du verbe, et de « que ». « Quel que » se rencontre essentiellement devant le verbe être. Ici, on peut transformer le passage en : « Que le moment de la journée soit (n'importe le) quel ».
2 - **Quelle que** (et non « quelque ») soit la raison invoquée. Même raison que ci-dessus : « Que la raison invoquée soit (n'importe la) quelle ».
3 - **Quoique** (et non « quoi que ») cette consigne ait déjà été affichée. On écrit « quoique » en un mot lorsqu'on peut le remplacer par « bien que », exprimant la concession, l'opposition.
4 - **Quoi que** (et non « quoique ») chacun ait pu en penser (« que chacun ait pu en penser (n'importe) quoi »). Ici, on ne peut le remplacer par « bien que ».
5 - **Quel que** (et non « quelque ») soit le code secret – pour la même raison qu'en 1.
6 - **Quoiqu'il** (et non « quoi qu'il ») en soit le thème central, il a décidé qu'il n'y aurait aucune poursuite. Même raison qu'en 3.

7 - **Quoi qu'il** (et non « quoiqu'il ») en soit. Même raison qu'en 3 et 4.

8 - Depuis les **quelque** dix mois (et non « les quelques dix mois ») que nous avons obtenu le label ISO 9002. « Quelque » est ici adverbe car il signifie « à peu près, environ », on ne l'accorde pas.

9 - **Quelques** (et non « quelque ») regrets que nous en ayons. « Quelque », accompagné de « que » et précédant un nom est adjectif, donc variable.

10 - **Quelles qu'**elles (et non « quel qu'elles ») soient. Même raison qu'en 1 et 2.

RÉCRÉ-QCM

CORRECTION

1 - b) Le **palimpseste** est une peau d'animal.

2 - b) Le **cénotaphe** est un tombeau vide. Les monuments funéraires de Voltaire et Rousseau situés à l'entrée de la crypte du Panthéon sont des cénotaphes.

3 - a) L'**olécrane** est l'os du coude, apophyse du cubitus, de « ôléné » en grec : « coude », et « kranion » : « tête ».

APPROFONDISSEMENT : TEST N° 9

L'accord du participe passé (2)

CORRECTION

Les dix erreurs corrigées apparaissent en gras :

1 - Quelle idée j'ai **eue** (et non « quelle idée j'ai eu ») : le COD de « j'ai eu » est « quelle idée », il est placé avant le verbe, donc accord.

2 - Les mails que je me suis **plu** à t'écrire (et non « plue ») : « plaire » ne peut avoir de COD, donc son participe passé est invariable.

3 - Les fleurs que je t'ai **fait** envoyer (et non « faites ») : lorsqu'il est suivi d'un infinitif, le participe passé « fait » est invariable.

4 - Quand je pense aux centaines de francs que m'a **coûté** cette générosité (et non « coûtées ») : les participes passés « couru, coûté, régné, valu, vécu » ne s'accordent pas lorsqu'ils sont employés au sens propre car leur complément n'est pas un COD, mais un complément circonstanciel. Au sens figuré, ils ont un COD, et donc peuvent s'accorder. Ex. : Les efforts que m'a coûtés ton absence.

5 - « Elle s'est **jetée** sous une voiture ! » (et non « jeté »). Il s'agit d'un verbe pronominal (« se jeter »), on fait comme si l'auxiliaire était « avoir » : elle a jeté qui ? « s' » mis pour « elle » ; « s' », COD est placé avant, donc accord.

6 - « Elle s'est tout **abîmé** la jambe. » Verbe pronominal aussi. Elle a abîmé quoi ? « la jambe » ; le COD est placé après, donc pas d'accord.
7 - Elle s'est **vue** mourir (et non « vu ») : elle a vu qui ? « s' », elle-même qui mourait.
8 - « Parce que je m'étais **aperçue** que tu allais faire une bêtise » (et non « aperçu ») : « s'apercevoir » fait ici partie des pronominaux non réfléchis dont le participe passé s'accorde avec le sujet (exemples d'autres verbes pronominaux non réfléchis, c'est-à-dire dont l'action ne concerne pas le pronom personnel complément : s'attaquer – dans « je m'attaque aux difficultés », cela ne signifie pas qu'on s'attaque soi-même –, s'aviser, se douter, se saisir, se servir, etc.).
9 - Les horreurs de la guerre que tu as **vues** se dérouler dans les films (et non « vu »), le COD de « vu » est « que », mis pour « les horreurs de la guerre ».
10 - Les tortures diverses que tu as **entendu** raconter à la télé (et non « entendues ») : le COD de « entendu » est l'infinitif « raconter », donc, pas d'accord (« que » est COD de « raconter »).

À RETENIR

> Les verbes pronominaux proprement dits, c'est-à-dire ceux qui ne se conjuguent qu'à la voix pronominale (ex. : s'abstenir, s'efforcer, se souvenir, etc.) s'accordent en genre et en nombre avec le sujet.

Ex. : Ils se sont abstenus..., elles se sont efforcées..., ils se sont souvenus...

> Voici quelques autres verbes pronominaux proprement dits : s'absenter, s'accouder, s'agenouiller, se blottir, se démener, s'écrier, s'écrouler, s'élancer, s'emparer, s'empresser, s'enfuir, s'entraider, s'envoler, s'évader, s'évanouir, s'exclamer, s'extasier, s'immiscer, s'infiltrer, s'insurger, se méfier, se moquer, s'obstiner, se ratatiner, se rebeller, se réfugier, se repentir, se soucier, se suicider.

APPROFONDISSEMENT : TEST N° 10

L'impératif

CORRECTION

Les dix erreurs corrigées apparaissent en gras :

1 - **Arrête**, Cécile ! (et non « Arrêtes »), les verbes du 1er groupe – terminaison « er » – ne prennent pas de « s » à la 2ème personne du singulier de l'impératif.
2 - **Rappelle**-toi ce que j'ai fait pour lui ! (et non « Rappelles-toi »). Même raison qu'en 1.
3 - **Fais** attention, Cécile (et non « Fait »). La 2ème personne du singulier des verbes du 3ème groupe prend un « s », sauf les verbes assaillir, couvrir, cueillir, défaillir, offrir, ouvrir, savoir, souffrir, tressaillir, vouloir – veux ou veuille.
4 - **Ouvre** les yeux ! (et non « Ouvres »). Même raison qu'en 1.

5 - **Va-t'en** chercher la vérité (et non « Va-t-en »), car le « t » est le pronom personnel « te », il s'élide devant la voyelle « e » de « en ». Dans « Va-t-il pleuvoir ? », il n'y a pas d'apostrophe, mais un tiret car « t » n'est pas un pronom personnel, c'est une cheville sonore destinée à éviter l'hiatus.
6 - **Dis-le-moi** ! (et non « Dis-moi-le »). Dans cette structure, le COD « le » vient en premier après le verbe.
7 - **Mets-t'y**, (et non « Mets-t-y »). Même raison qu'en 5. On entend parfois « mets-toi-z-y », ou, si le pronom est « en » : « mets-toi-z-en », ou « donne-moi-z-en », ou bien encore « mettez-moi-z-en », « donnez-moi-z-en », alors que les formes correctes sont : « mets-t'en », « donne-m'en », « mettez-m'en », « donnez-m'en ».
8 - **Parle-lui-en** ! (et non « Parle-lui en »), sauf si « en » est une préposition précédant un nom ou un participe présent pour former un gérondif : « Parle-lui en confiance, parle-lui en riant »). Les pronoms personnels dépendant de l'impératif doivent être rattachés par un trait d'union. Ex. : « Cette part, laisse-la-lui ! » Mais, si le 2ème pronom personnel se rattache à un infinitif, on ne met pas de trait d'union : « Laisse-la lui exprimer sa satisfaction ».
9 - **Défais-t'en** (et non « Défais-t-en »). Même raison qu'en 5.
10 - Ne m'**achève** pas ! (et non « Ne m'achèves pas »). Même raison qu'en 1.

À RETENIR

> L'impératif n'a pas de 1ère personne du singulier, ni de 3ème personne du singulier ou du pluriel.
> L'orthographe de la 2ème personne du singulier de l'impératif présent est la même que celle de la 1ère personne de l'indicatif présent. Ex. : « Je contemple ce ziggourat », « Contemple ce ziggourat ! ». En supprimant le « je » de la 1ère personne du singulier de l'indicatif présent, on obtient l'orthographe de la 2ème personne de l'impératif présent (sauf pour le verbe aller : « Je vais », « Va ! » ; pour le verbe avoir : « Aie » ; pour le verbe être : « Sois »).

RÉCRÉ-QCM

CORRECTION

1 - c) Un amphigouri est un discours confus.
2 - c) Un solécisme est une faute de syntaxe qui résulte d'une mauvaise connaissance ou d'une mauvaise application des règles de la grammaire.
3 - b) Un ziggourat est un temple babylonien.

BILAN DE LA PREMIÈRE SÉQUENCE

Approfondissement	Nombre de points	
Test n° 1 p.		/10
Test n° 2 p.		/10
Test n° 3 p.		/10
Test n° 4 p.		/10
Test n° 5 p.		/10
Test n° 6 p.		/10
Test n° 7 p.		/10
Test n° 8 p.		/10
Test n° 9 p.		/10
Test n° 10 p.		/10
Faites le total de vos points, vous obtenez votre pourcentage de réussite :		%

TEST DE CONTRÔLE

Correction

Les vingt erreurs corrigées apparaissent en gras :

Chère Sally,

Je m'ennuie tellement loin de toi, dans mon bureau aux murs **jaune-vert**, aux rideaux **orange** que je me suis permis un petit divertissement. Je ne mesure pas bien encore les conséquences qu'il a **produites**, mais je crois que les deux **rigolotes** qui se sont **succédé** pour me séduire se sont **évanouies** dans la nature.

Je t'avais parlé du poème que l'une d'elles m'avait **remis**... **Eh** bien, après avoir **patiemment** modifié quelques rimes pour leur donner un petit air gaillard, je l'ai envoyé sur le réseau interne !

Tout le monde l'a lu : les **cent vingt et un** techniciens, les **quatre vingt-sept** employés divers, et probablement les trois **mille** quatre cent soixante-deux connectés des filiales étrangères !

Monsieur Wilt, le directeur, a fait une circulaire en précisant que, **quel que soit** le motif et **quoi que** chacun en pense, le courrier privé ne devait pas circuler sur le réseau.

En **communiquant** cette information, Monsieur Wilt, qui n'a rien d'un **fabricant** de rumeurs, a été clair et **convaincant** puisque désormais, seuls circulent les courriers professionnels.

Midi, je m'en vais **déjeuner**. J'espère que tu n'as pas trop de travail. **Pense** aux vacances qui arrivent ! **Va-t-il** faire beau ? Je me le demande. Si tu veux, va-t'en faire un tour à la météo internationale, boulevard Sainte-Quêthréne, tu auras des renseignements sûrs pour les prochaines semaines.

Au menu, nous avons du sushi, j'ai hâte de retrouver cette belle chair de Nippons qui me fait penser à toi. N'est-ce pas que tu adores quand nous nous retrouvons en tête-à-tête autour d'elle !

Mille pensées tendres

Fabio

Deuxième séquence

TEST N° 1

Correction

Les dix erreurs corrigées apparaissent en gras :

1 - **C'est avéré** ! (et non « Ça s'est avéré vrai ! »), de « verus » en latin : « vrai ». « S'avérer vrai » est un pléonasme, « s'avérer faux » est une contradiction.
2 - **Cela dit** (et non « ceci dit »), cela faisant référence à ce qui précède.
3 - **Rémunérée**, du verbe « rémunérer » (et non « rénumérée »).
4 - Des ennuis **pécuniaires** ! (et non « pécuniers »).
5 - **Une espèce de** bellâtre (et non « un espèce de »).
6 - Les secrétaires, les attachées de direction **et autres employées...** (les secrétaires, les attachées de direction ne sont pas des comptables).
7 - Toute **la gent** féminine ! (et non « la gente ») qui signifie « noble, bien née, jolie ».
8 - Une **prétendue** société (et non « soi-disant » : se disant elle-même ou lui-même).
9 - **Tu n'es pas sans savoir** (qui signifie précisément « Tu sais ») que Magali est partie aussi ? (« Tu n'es pas sans ignorer » veut dire « Tu ignores »).
10 - Elle a **émigré** au Mexique il y a un mois... (et non « immigrer ») qui est, pour un étranger, venir s'établir en France.

RÉCRÉ-QCM

CORRECTION

1 - b) L'épistaxis est un saignement de nez.
2 - b) La vergeure est un terme de papeterie.
3 - b) Un nyctalope voit la nuit.

TEST N° 2

CORRECTION

Les dix erreurs corrigées apparaissent en gras :

1 - **Secrétariat** (et non « secrétairiat »).
2 - Combien en reste-t-il **en lice** ? (et non « en liste »).
3 - Un **dilemme** ! (et non « un dilemne »).
4 - L'argent, il y a tellement de possibilités pour le dépenser ! (**« argent » est du masculin**).
5 - Ma déclaration de **revenus** ? (on ne déclare pas ses impôts, mais ses revenus).
6 - **Vers 3 h** ce matin, (et non « Vers les 3 h »).
7 - Le temps de **reculer** (« reculer en arrière » est un pléonasme).
8 - **Je te prie de m'excuser** (et non « Je m'excuse », on ne s'excuse pas tout seul).
9 - Tu sais à quelle heure **on commence la cérémonie** ? (« débuter » ne peut avoir de COD).
10 - **Ce n'est pas ma faute**. (et non « Ce n'est pas de ma faute »).

TEST N° 3

CORRECTION

Les dix erreurs corrigées apparaissent en gras :

1 - Le **caviar** (et non « caviard »).
2 - Ses **crudités** (et non « cruditées »). Les noms féminins terminés par « té » ne prennent pas de « e » : la liberté, la méchanceté, la beauté, etc., sauf : dictée, pâtée, jetée, montée, butée, portée, tétée, nuitée, et ceux qui indiquent un contenu (brouettée, assiettée, potée, charretée, etc.
3 - **Carottes** (et non « carrottes »).
4 - **Etc.** (et non « ect... »). C'est l'abréviation du latin « et caetera » signifiant « et le reste ». On doit donc prononcer « ètcétéra» et non « èkcétéra». « Etc. » n'est suivi que d'un seul point.
5 - Le filet de **barbue** (et non de « barbu » qui désigne un homme portant la barbe).
6 - Le **ris** de veau (et non « riz de veau »), avec leur accompagnement de
7 - **Pommes-noisettes** (et non « pomme-noisettes »).
8 - Le **reblochon** (et non « roblochon »).
9 - Les **profiteroles** (un seul « l »).
10 - Les vins : **Château-Margaux**, (Margot est le diminutif du prénom Marguerite).

TEST N° 4
CORRECTION

Les dix erreurs corrigées apparaissent en gras :

1 - Vous trouverez **ci-inclus** copie de notre contrat (invariable devant le nom sans article).
2 - Vous trouverez également **ci-jointe** la photocopie (s'accorde après le verbe et devant le nom précédé d'un déterminant).
3 - Les clichés **ci-annexés** (s'accorde lorsqu'il suit le nom).
4 - **Ci-joint** enfin, l'épreuve (placé en tête de phrase, ne s'accorde pas).
5 - Deux **pique-niques** (verbe invariable : « pique » + nom variable « niques »).
6 - Vos **belles-soeurs** (adjectif + nom, variables tous les deux).
7 - Les **arcs-en-ciel** (des « arcs » dans le « ciel », il n'y en a qu'un).
8 - Celles dans le champ de **choux-fleurs** (nom + nom, variables tous les deux).
9 - Près des **gardes-barrières** (nom + nom, variables tous les deux).
10 - De vrais **porte-bonheurs** ! (verbe invariable : « porte » + nom variable : « bonheur »).

TEST N° 5

Correction

Les dix erreurs corrigées apparaissent en gras :

1 - Le mois de **juin** : « ju-in » ! (et non « jou-in »).
2 - C'est **enivrant** : « an-nivrant » ! (et non « énivrant »).
3 - La **moelle** : « moualle » ! (et non « mouèlle »).
4 - Un **infarctus** (et non un « infractus »).
5 - Mon **almanach** : « almana » (et non « almanak »). « Agenda » se prononce bien « ageinda », et non « ageanda »).
6 - **Israël** « I-ss-raël » (et non « I-z-raël »).
7 - Du **tourisme** : « touri-ss-me » (et non « touri-z-me », calqué sur l'anglais « tourism »).
8 - **Œnologue** : « énologue » (et non « eunologue »), « œ » se prononce « é », sauf dans « œstrus » et « œstrogène » où il se prononce « è ».
9 - Un **fœtus** : « fétusse » est la prononciation correcte.
10 - Complexe d'Œdipe : « édipe ». Même raison qu'en 8.

TEST N° 6

Correction

Les dix erreurs corrigées apparaissent en gras :

1 - **Obnubilé** par l'heure (et non « omnibulé »).
2 - Il ne cessait de me **rebattre** les oreilles (et non « rabattre les oreilles »).
3 - **L'aéroport** (et non « l'aréoport »). Il suffit de penser à « aérien » pour se le rappeler.
4 - **Deux ou trois personnes** (et non « Deux à trois personnes »), car il y aurait alors une fraction de personne...
5 - Une **échauffourée** (et non « échafourrée »). Ce terme qui date du XIIIème siècle vient de « échauffer » et de « fourrer », et désigne une courte bagarre.
6 - **Pérégrinations** (et non « périgrinations »), du latin, « peregrinatio » : « voyage à l'étranger ».
7 - Le **centre pénitentiaire** (on parle d'un « pénitencier », mais d'un « centre pénitentiaire»).
8 - **Nous étions convenu de** (et non « Nous avions convenu de »).
9 - **Noir de jais** (et non de « geai », oiseau qui n'est pas noir).
10 - **Hypnotisée** (et non « hynoptisée »).

TEST N° 7

CORRECTION

Les dix erreurs corrigées apparaissent en gras :

1 - **J'ai lu dans le journal** (on dit « J'ai lu, ou j'ai vu dans le journal », et non « sur le journal »).

2 - **Pour pallier** la situation, (« pallier » est transitif direct, c'est-à-dire qu'il a un COD).

3 - **De manière que** (et non « De manière à ce que »), le « à ce » est inutile.

4 - **Ce dont j'ai besoin** (et non « Ce que j'ai besoin »). On ne dit pas « avoir besoin quelque chose » mais « avoir besoin de quelque chose », c'est donc « dont », qui contient « de », qui convient.

5 - **Réduits au minimum** (et non « réduits au maximum »), la réduction va vers le plus petit.

6 - **Je me le rappelle** (on se rappelle quelque chose, on se souvient de quelque chose. On dira donc « ce que je me rappelle », « ce dont je me souviens »).

7 - Il est **extrêmement intelligent** (peut-on être « excessivement intelligent » ?).

8 - **Quand même ce serait vrai** (le « que » est inutile...).

9 - Il faut **s'entraider**. (l'entraide est forcément mutuelle).

10 - **À cause de sa mauvaise santé**.

PETIT QCM DE CONJUGAISON

(hors évaluation)

CORRECTION

1b) Je chus. 2c) Inusité. 3b) Il s'est ensuivi.

4a) Tu faillis. 5b) Inusité. 6a) Inusité.

7a) Il paîtra. 8a) Elle siéra. 9b) Il point.

10a et b) Je choirai ou Je cherrai. 11c) Inusité.
12c) Inusité.

TEST N° 8

CORRECTION

Les dix erreurs corrigées apparaissent en gras :

1 - Je m'**appelle** Dylan (et non « je m'appèle »). On met deux « l » lorsque le son « e » devient « è » sauf pour celer, ciseler, déceler, démanteler, geler – et ses composés : dégeler, congeler... –, écarteler, marteler, modeler, peler.
2 - **Parce que** (pas de trait d'union).
3 - Comme ma maman l'avait **prévu** (pas de « e » car le COD est « l' » mis pour « cela »).
4 - J'étais pourtant bien dans mon **repaire** (un « repère » est un signe, une marque).
5 - J'entre de **plain-pied** (et non de « plein-pied »).

6 - **Cauchemars** (« cauchemarder », mais « un cauchemar »).
7 - Ma maman **ne cesse de me le dire** (et non « ...n'arrête pas de me le dire »).
8 - Je chante une **ballade** (une « balade » est une promenade).
9 - Faire **bonne chère** : « chère » signifie « visage », il s'agit de faire une bonne tête lors d'un bon repas.
10 - On ne fera pas de **dépenses excessives** (« somptuaire » vient du latin « sumptuarius » : « qui concerne la dépense »). « Dépenses somptuaires » est un pléonasme.

TEST N° 9

CORRECTION

Les dix erreurs corrigées apparaissent en gras :

1 - Victime d'une mauvaise **conjoncture économique** (« conjecture » signifie « hypothèse, supposition », et « conjoncture » : « état, situation »).
2 - Une activité **importante**, (« conséquente » signifie « logique avec soi-même »).
3 - Je l'ai exercée pendant presque **une décennie** (une « décade », c'est dix jours, une « décennie », dix ans).
4 - J'étais **sens dessus dessous**. Au XVIème siècle, on écrivait « sans dessus dessous » ; depuis 1600, on écrit « sens dessus dessous ».

5 - **Je travaillais trop** (et non « de trop »), le « de » est inutile.
6 - Maintenant que **j'ai recouvré la santé** (et non « retrouvé la santé »).
7 - **D'autant plus (ou d'autant moins) qu'il est** absent (et non « surtout que »).
8 - Vous n'êtes pas **censé** connaître. Dans le sens de « supposé », on écrit « censé » et non « sensé ».
9 - **Au dire de** mes collègues (et non « aux dires de »).
10 - J'étais **sceptique** (c'est la « fosse » qui est « septique »...).

TEST N° 10

CORRECTION

Les dix erreurs corrigées apparaissent en gras :

1 - **Baccalauréat** (ce mot est formé sur une fausse étymologie latine « bacca » : « baie », et « lauri » : « laurier ». Ce serait donc le laurier et ses baies destinés à couronner l'heureux impétrant. En réalité, « baccalauréat » vient du gaulois latinisé « baccalaris » signifiant « jeune homme » ou « aspirant chevalier ». C'est au Moyen Âge qu'il désigne le premier grade universitaire).
2 - Word (le traitement de textes a pour nom « Word » et non « Words »). Même si c'est de l'anglais, on l'utilise tellement qu'on ne peut en ignorer la juste orthographe.

3 - **Works** (et non « Work »).
4 - **Photoshop** (et non « photochop ») pour ce logiciel de traitement de l'image.
5 - **Excel** (de l'anglais encore pour le nom de ce tableur qui prend un « c » après le « x » : « Excel »).
6 - Tenue des **stocks** (et non « stoks »).
7 - **Accueil** clientèle (et non « acceuil » car la prononciation devient alors « akseuil »). Il faut mettre le « u » après les deux « c » afin qu'ils aient le son « k »).
8 - Suivi des ports **dus** (et non « dûs » ; le participe passé du verbe devoir ne prend un accent circonflexe qu'au masculin singulier : « dû », car il y a risque de confusion avec l'article partitif « du », dans « du pain, du vin » par exemple. Les autres participes passés du verbe devoir s'écrivent : « due, dues »).
9 - Appels téléphoniques d'un **standard** (et non « standart »).
10 - **Excellente** poétesse (et non « exellente »).

BILAN DE LA DEUXIÈME SÉQUENCE

Tests	Nombre de points	
Test n° 1 p.		/10
Test n° 2 p.		/10
Test n° 3 p.		/10
Test n° 4 p.		/10
Test n° 5 p.		/10
Test n° 6 p.		/10
Test n° 7 p.		/10
Test n° 8 p.		/10
Test n° 9 p.		/10
Test n° 10 p.		/10
Faites le total de vos points, vous obtenez votre pourcentage de réussite :		%

TEST FINAL

CORRECTION

Les vingt erreurs corrigées apparaissent en gras :

Cécile@Kergoat.br

Coucou, Magali

Il est loin le temps de Westinck-Dugland ! Des années ont **passé** ! Je travaille maintenant en Bretagne, près de chez mes parents. Je suis plutôt mal **rémunérée**, mais on ne peut pas tout avoir !

Et toi, au Mexique, tout va bien ? J'espère que tu bois du mescal, de la **tequila**, que tu manges des **tacos** ! Ici, on n'a que de la **prétendue** cuisine **mexicaine**, pas de l'authentique !

Je ne pense plus jamais au **différend** que nous avions **eu** à propos du sonnet que j'avais **écrit**. J'ai appris que Fabio s'est marié avec Sally, et qu'ils vivent à Montréal. Ils attendent leur troisième enfant. Voilà un ménage **prolifique** !

Moi, pour l'instant, je n'en ai qu'un, Dylan. **Cela dit,** je pense en avoir au moins un autre, et même plus, si nous n'avons pas d'ennuis **pécuniaires** dans les années qui viennent. Enfin, je ne suis pas **obnubilée** par **ça** ! Maintenant, je connais tout des bébés : les biberons, les brassières, **couches-culottes et**

autres objets destinés au bébé. Un vrai passe-temps !

Mon mari, Francky, après avoir été routier, est surveillant de prison. Nous avons acheté une maison près d'une usine **désaffectée** ; c'est tranquille.

L'autre soir, dans la société où je travaille, « Décidete », c'était le départ en **préretraite** du chef du personnel. **Eh bien, figure**-toi qu'il est remplacé par deux jeunes, pas mal du tout. Ils ne cessaient de me regarder à l'**envi**...

Je t'en raconterai davantage, Francky vient de rentrer.

Bisous

Cécile

Alors, quelle est votre note finale ? Avez-vous constaté une amélioration par rapport au test de départ ? Au test de contrôle ? Oui ? Félicitations ! Cela signifie que tout ce parcours n'aura pas été vain.

L'acquisition d'une bonne orthographe et d'une bonne maîtrise de la langue française est un travail de longue haleine. Aussi, ne vous endormez pas sur vos lauriers, reportez-vous régulièrement à ce livre, faites à nouveau les tests, et mesurez ainsi l'évolution de votre niveau global.

Vous verrez qu'à force de persévérance, vous deviendrez un véritable champion de la grammaire et de l'orthographe !

INDEX

A

B

C

D

E

F

M

N

O

P

Q

R

S

T

V

Z